U0137206

百科探索 08

探索人類未解之謎

人類世界，無奇不有。

從史前傳奇到現代文明，從人體自身到超自然現象，

各個領域裏都有許多充滿神秘色彩的謎團。

邱芬——編著

前　言

人類世界，無奇不有。從史前傳奇到現代文明，從人體自身到超自然現象，各個領域裡都有許多充滿神祕色彩的謎團：人類是從哪裡來的？生命起源于哪裡？人能長生不老嗎？是否真的有美人魚？喜馬拉雅山上有「雪人」嗎？人體為什麼會自燃？為什麼牙齒能接收廣播……這些令人困惑不解的問題接二連三出現。隨著科學技術的發展和人類知識水平的提高，有些問題已經真相大白，可有的至今也沒有得到合理的、科學的解釋。這些未解之謎散發出神祕的魅力，吸引著科學家們不斷地探索研究。

編者針對青少年朋友們強烈的好奇心、旺盛的求知欲的心理特徵，把本書分為了五個部分：人類起源、人類迷蹤、人體探奇、生命奇蹟、奇妙現象，從不同主題、不同角度，全方位地為青少年朋友們精選了有關人類的最神祕的謎題：有的是人類自身的生命謎團，有的是新奇物種引發的疑團，有的是生活中的神祕現象……此外，文章中還配有精美的圖片和相關的知識連結，使本書更具吸引力和可讀性。本書在編寫的過程中，參考了國內外有關專家、學者的研究成果，以及媒體報導的相關資料，在此表示衷心的感謝。

《探索人類未解之謎》將帶您領略一個精彩神祕、匪夷所思的未知世界，激發您了解人類自身和探究謎團的興趣，讓您能夠在閱讀中最大程度地感受人類的神祕，獲得思考和發現的樂趣。現在跟隨我們去探索人類的奧祕吧！

編　者

目錄

人類起源

人類迷蹤

人體探奇

生命奇蹟

奇妙現象

人類起源

生命研究是一門科學，人類對生命的研究，幾千年來從未停止過。

人類的起源，可以說是學術上最令人頭痛的問題。究竟誰是人類的祖先？人類祖先曾在海洋裡生活過嗎？人類現在是否仍在進化……一系列的謎題等著我們去探索、去發現。

人類起源之謎

你知道人類是從哪裡來的嗎？千百年來，人們一直在尋找這個問題的答案。

每個國家都有關於人類起源的傳說。比如，中國有女媧造人的神話故事；在信奉基督教的西方國家裡，則流傳著上帝造人說。然而，這些畢竟只是傳說，缺乏令人信服的科學依據。在十九世紀時，達爾文提出了進化論。後來，科學家在進化論的基礎上，提出了現代人類起源說。這種學說認為，人類是古猿經過數百萬年的漫長時間，在大自然的影響下逐漸進化而來的。

可是，考古學上的許多發現都無法用進化論解釋，例如：一九一三年，德國的人類學家在坦桑尼亞峽谷一百萬年以前的地層中，發現了一具完整的現代人類骨骼。

美國科學家麥斯特則在猶他州羚羊泉的寒武紀沉積岩中的一塊三葉蟲化石旁邊，發現了一個成人的鞋印和一個小孩的腳印，而三葉蟲是五億四千萬年前至二億五千萬年前的生物，早已絕跡。經過化學專家鑑定，那的確是人類的足跡。在中國雲南富源縣三疊紀岩石上面發現有四個人類的腳印。據考證，這些腳印是二億三千五百萬年前留下的。根據科學家的研究，人類在距今四萬年左右才發展到與現代人類相近的狀態，有文字記載也不過五千年的時間。所以，幾億年前應該不可能有現代人類存在。那麼，這些考古發現該如何解釋呢？

隨著時代的發展和科技的進步，科學家們不斷提出新的觀點。相信在不久的將來，人類必將用自己的智慧，來揭開人類起源的祕密。

日耳曼的人類起源神話

在日耳曼神話中，人類的祖先是由天神歐丁和其他的神共同創造的。傳說，眾神在海邊散步時，看到沙洲上長了兩棵樹，其中一棵挺拔雄偉，另一棵風姿綽約。於是，他們砍下這兩棵樹，分別造成男人和女人。歐丁賦予其生命，其他的神分別賦予其理智、語言、膚色和血液等。

生命可能起源於地球之外

美國加州聖克魯茲大學的生物學家大衛・迪默認為，最原始的生命有可能起源於地球以外的浩瀚宇宙。

大衛・迪默透過仿真宇宙環境的實驗，發現所有的人造細胞膜都具有半浸透性，氧氣、水等物質能夠比較容易地從細胞膜穿過，而這正是生命形成所必須的要素之一。他據此推斷，地球上最初的生命，可能是由星際空間裡的有機化合物促成的。大衛・迪默同時表示，人們早已在隕石塵埃中發現了這樣的有機化合物。若干年前，人們還發現這些化合物「自我組合」成了肥皂泡一樣的防水氣泡。

另一些科學家也相信：形成生命所必須的分子大量存在於宇宙空間。為了證明這一點，來自威爾士卡迪佛大學的太空專家查卓爾・威克瑪辛教授和來自印度的科學家，在一個漂浮的氣球上，安裝了印度太空研究組織的低溫樣本採集機，這個機器在印度南部的海得拉巴附近距地面四十一公里的大氣層中收集到了太空樣本。透過使用一種熒光染料，他們在樣本中發現了活著的「細菌」，並推斷這些「細菌」，是從太空落入大氣層中的而不是從地面漂浮上去的。原因很簡單，因為在距地球表面約十六公里處有高密度的對流層，弱小的細菌怎麼可能穿透對流層，到達那麼高的地方呢？

微生物學家列奧教授也說：「它們看起來像地面上的普通細菌，但無法解釋它們為什麼會跑到這麼高的高空。如果是這樣，那一定是發生了什麼不尋常的事件，才會讓它們到達距地面四十多公里的地方。」列奧嚐試對這些「細菌」進行培植，但因為找不到合適的環境，到目前都沒能成功。但他補充說：「這可能給我們指明，它們有可能來自地球之外，也就是說在地球之外可能存在著生命。」

如果生命真的來自於地球之外，那麼它們又是怎樣到達地球的呢？威克瑪辛教授說：「它們可能是由彗星帶到地球上來的。」一些科學家甚至認為，每天大約有三百五十公斤這樣的「細菌」像下雨一樣落到地球上來。

由此看來，惡劣的宇宙條件並未阻止生命的演化，生命起源於地球以外的浩瀚宇宙也是完全有可能的。

人類祖先在海洋裡生活過嗎

海　洋

一九六〇年，英國人類學教授愛利斯特·哈代爵士對於人類起源，提出了一種新的假說。根據在八百萬年前至四百萬年前這一時期的化石資料幾乎空白的事實，哈代爵士認為，在人類進化史上，存在著幾百萬年的水生海猿階段。

其依據是：人類的許多解剖生理學的特徵在別的陸地靈長類動物身上都找不到，卻在海豹、海豚等水生哺乳動物身上發現了。例如：所有陸地靈長類動物體表都有濃密的毛髮，唯獨人類皮膚裸露，這一點與海獸相同；靈長類動物都沒有皮下脂肪，而人類卻與海獸一樣有著厚厚的皮下脂肪；人類胎兒胎毛的生長位置明顯不同於別的靈長類動物，而與海獸胎兒胎毛位置相同；人類淚腺分泌淚液、排出鹽分的生理現象，在靈長類動物中是絕無僅有的，而海獸卻具有。

哈代爵士又查閱了大量史料，指出八百萬年前至四百萬年前，海水曾淹沒了非洲的東部和北部的大片地區，海水分隔了生活在那裡的古猿群。他由此推測出，古猿群其中的一部分，為了適應急劇變化的自然環境，進化成海猿。幾百萬年以後，海水退卻，已經適應水生生活的海猿重返陸地。又經過幾百萬年，海猿進化成為人類。海猿歷經滄桑，在水中進化出了向人類方向發展的特徵，這些特徵為以後的直立行走、進行語言交流等重要進化創造了條件。這使得他們在返回陸地後有了更明顯的優勢，超越了其他猿類，進化成地球上最高等的智慧動物。

還有專家指出，人類的潛水本領相當出色。在古代猿人生活過的地方，人們發現過一處有名的古蹟——史前貝塚。貝塚由一堆堆的貝殼堆積而成，這是史前人類採食貝類動物的證據。很明顯，這些猿人已經具有相當出色的潛水本領，這在靈長類動物中也是很少見的。

人的潛水反應

人在潛水時，體內會產生一種潛水反應：肌肉收縮，全身動脈血流量減少，呼吸暫時停止，心跳也會變得很緩慢。這種反應和海豹等水生哺乳動物潛水時的反應十分相似。潛水反應並不是單純的條件反射，而是由大腦高級中樞系統加以控制的結果。同時，高級中樞系統也有意識地控制著呼吸，而對呼吸的精確控制和調節，是人類發展語言的基礎。

人類曾經滅絶過嗎

科學家們透過放射性同位素碳十四，精確地估算出人類是某種四萬年前到三萬年前的高度文明的產物，並有一個活躍、鼎盛時期。

由於我們的地球曾經不只一次遭到大爆炸、大洪水等災難的侵襲，因此古文明可能一毀再毀，古人類也可能死而復生。對於這些大災難的各種傳說，有據可查的歷史可以追溯到冰河期結束時。這些傳說證明了人類遠在一萬二千年前就有了燦爛的文明，而且比四千年前的甚至比如今的文明更發達。

於是有人推測，地球在從誕生到至今的四十六億年的時間中，曾經產生過多次生命。地球主要經歷過五次大滅絕，這五次大滅絕分別發生在五億年前、三億五千萬年前、二億三千萬年前、一億八千萬年前和六千五百萬年前，因此人們相信地球上的生命也是滅後生，生後滅，周而復始。有人曾經發現了二十億年前的核反應堆遺跡，由此推測可能在二十億年前地球上就存在過高級文明生物，但不幸毀於一場核大戰或特大的自然災害。總之，前一種高度文明一旦毀滅，隨後又會導致高級智慧生物的周期性起源和進化。

但是，這太難以想像了。大部分科學家們認為這僅是一種主觀猜測，還不能令人信服。也有一些人堅持自己的看法，他們認為我們的地球已存在四十六億年了，而人類文明怎麼可能僅有五千多年的歷史呢？

美國太空總署蓋・福克魯曼博士等人根據現已掌握的小天體撞擊月球的歷史資料，詳細分析了小天體撞擊地球所導致的後果，證實了人類曾經滅絕過的可能性。此外，人類考古學上的一系列發現，則使人類是否存在過多次文明這個問題變得更加撲朔迷離。比如，考古學家在南美洲發現了一個古代星空圖。據考證，該星空圖描繪了二萬七千年前的星座分布狀況，圖上的符號記述的是深奧的天文學知識。因此科學家們認為，這絕不是近代人類或我們已知的某一時期的人類能做到的。

人類的祖先究竟經歷過怎樣的世事變遷呢？遠古時期真的存在過充滿智慧和無窮力量的人類嗎？這還有待於新的科學的發現。

人類的祖先曾與恐龍共存嗎

二〇〇二年，美國多位科學家公佈了關於人類祖先的最新研究成果：大約在八千萬年前，所有靈長類動物（包括人類）共同的祖先曾經和恐龍們共存，一起生活在同一史前時代——白堊紀。

該研究結論在世界最權威的科學雜志《自然》發表後，猶如在世界科學界投下了一顆炸彈。這項透過最新研究方法得出的驚人結論，或許將改寫整個生物進化發展史。

此前，科學家們一直認為，靈長類動物的祖先大約起源於五千五百萬年前，並且當靈長類動物的祖先誕生之時，恐龍早已滅絕了。

美國芝加哥菲爾德博物館的科學家們，運用一種全新的科學分析方法——基因比較法，得出的最新研究數據將這個時間提前了三千多萬年，由此推論出靈長類動物的祖先曾與恐龍生活在同一個時代。這項研究得到了哈佛大學、華盛頓大學、芝加哥菲爾德博物館、英國和瑞士等科學協會的衆多研究機構和科學家的支持，研究範圍跨越古生物學、人類學、數學等多個領域，研究地點從加利福尼亞州的研究中心，到南美、北歐，甚至瑞士的阿爾卑斯山脈。

美國科學家塔瓦內和他的同事們透過一種精確的新方法，終於縫補上生物進化史上最大的一塊碎片——在恐龍滅絕後和靈長類動物誕生前的巨大的空白。科學家們透過無數次的基因比對，弄清了現存靈長類動物DNA存在的每一個微妙差別，並由此發現，兩種基因代碼的差別越小，它們「分家」的年代也就越晚。再透過反覆測算，科學家們得出了靈長類動物從擁有「共同祖先」到「分家」的較為準確的年代：八千多萬年前。

基於這項研究，美國賓夕法尼亞州大學的布賴爾·海基等進化生物學家更加堅定地認為：人類的祖先——最早的靈長類生物，曾跟史前最大的動物——恐龍們生活在一起。在恐龍滅絕之前，靈長類動物和其他一些哺乳動物已經生存了幾千萬年，而恐龍滅絕大約發生在六千五百萬年前。但是，如果靈長類祖先真的存在那麼早，那在距今六千五百萬年使恐龍滅絕的那次大災難之前，眾多的靈長類生物的祖先已經進化發展了三千多萬年，並且和恐龍一起經歷了那次致命的大毀滅。

科學家們認為，那次災難源於一次地外隕石與地球的相撞，幾乎消滅了當時地球上所有的物種。但是，塔瓦內推論，它們當中的一些靈長類生物也許劫後餘生，逃過大難，其中的一支經過繁衍生息，進化成後來的人類。當然，這些都只是科學家們的推測，由於目前還沒有發現一塊屬於那個年代的相關化石，所以人類的祖先是否曾與恐龍共存過，還是一個未解之謎。

人類是由猿進化來的嗎

十九世紀中期，英國偉大的生物學家達爾文提出了一個轟動世界的理論——生物進化論。他認為：生物要想在變化的環境和嚴酷的鬥爭中生存下來，就必須透過遺傳、變異等方式，使自己進化、發展，以適應自然。最後，適應力強的生物留存下來，反之則被淘汰，這就是大自然的選擇。概括來說，就是物競天擇，適者生存，優勝劣汰。他還將進化論用於人類的發展，闡明了人類在動物界的位置及其由動物進化而來的依據，得出了人類起源於古猿的結論。

達爾文在《物種起源》中提出人類起源於古猿的說法，經過一番激烈的學術辯論和宗教界的大爭論，進化論漸漸被科學界所接受。

在以後的歲月裡，古生物學家透過對古生物化石的研究，在達爾文學說的基礎上，形成了現代人類起源說。

然而，進化論真的反映了人類起源的真實情況嗎？

人類真的是由猿進化來的嗎？根據進化論，人類的進化可分為三個階段：一千四百萬年前至八百萬年前的古猿期，四百萬年前至一百九十萬年前的南猿期和一百七十萬年前至二十萬年前的猿人期。很明顯，在古猿期與南猿期之間有近四百萬年的空缺，在南猿期與猿人期之間也有近二十萬年的空缺。直到現在，人們也沒有發現任何關於人類起源中間過渡階段的化石，這就給傳統的進化論提出了挑戰。

有人提出這樣的假設：化石空白期的人類祖先不是生活在陸地上，而是生活在海洋中。在人類的進化史中，存在著幾百萬年的水生海猿階段。他們的理由是：八百萬年前至四百萬年前，在非洲曾有大片的陸地被海水淹沒，迫使部分古猿下海生活，進化成了海猿。幾百萬年後，海水退卻，海猿重返陸地，成為人類的祖先。這就是「海猿說」。

然而近年來，不斷有人提出新的疑問。面對許許多多的假說、矛盾、謎團，我們迷惑不解，但相信總有一天會解開這個祕密。

神祕的「海底人」

一九五八年，美國國家海洋學會的羅坦博士，在大西洋約五公里深的海底，拍攝到了一些類似人的奇怪足跡。一九六八年，美國邁阿密城的水下攝影師穆尼，在海底看見過一個奇怪的生物，臉像猴子，脖子比人長四倍，眼睛像人，但比人大得多。

現在的猿猴還會變成人嗎

雖然現代的猿猴與人類有著密切的聯繫，但牠們不會變成人。人類屬於靈長類動物，靈長類動物中還包括猴子、猿類等。在親緣關係上，與人類最親近的靈長類動物是猿類，包括大猩猩、猩猩和黑猩猩，人類基因中有百分之九十八點四與黑猩猩的相同。但人類之所以與這些動物有親緣關係，並不是因為人類是由這些動物進化來的，而是因為我們和牠們擁有共同的祖先。

大約二億一千六百萬年前，第一隻哺乳動物誕生了。牠是以後其他所有哺乳動物的共同祖先。這種動物身材嬌小，身高不足一公尺，生活在巢穴或洞穴中。第一隻靈長類動物誕生時，地球上大部分地區都被茂密的森林覆蓋著，而長得像老鼠的靈長類動物就生活在森林裡的樹冠上。大約三千萬年前，靈長類動物裡出現了猴子和猿類，牠們朝著不同的方向進化。

一段時間後，一些靈長類動物離開了森林，試圖在草原上開闢新生活。在雨季，草原上植物茂盛，食物豐沛。但是一旦旱季來臨，草木凋零，生存對於這些動物來說就變艱難了。因此，想要在草原上生活，就必須學會適應這種變化。有一天，草原上出現了這樣一位標新立異者：牠可以用兩條腿走路，空出的前肢可用來採集分散在草原上的食物。牠與之前的猿類相比，腦容量更大，不過牠既不屬於人類，也不屬於猿類。這種動物的外形已經與人類很相似了，所以被稱為「原始人類」。

現代人類出現在約四萬年前。他們可以直立行走，用雙手製造複雜的勞動工具，還創造了語言彼此溝通。他們生活在複雜的社會群體中，有共同的生活習慣和思維方式，並可以將這種生活習慣和思維方式教給下一代。

從前那種似猿的生物已不復存在，我們與今天的猩猩之間也出現了天壤之別。但我們與猩猩仍然是近親，仍然共同生活在這個地球上。

埃塞俄比亞的原始女性化石

埃塞俄比亞曾經出土了一具幾乎完整的女性原始

人類的骨骼化石，科學家們為她取名「露西」。露西身高不足一點二公尺，她生活在幾百萬年前。她可以直立行走，但身上長滿了軟毛，所以看起來還是很像猿類。可惜的是，露西的種族滅絶了。科學家們猜測，這可能是因為後來出現的一種原始人類具有更強的生存能力，與之相比，露西的種族沒有競爭優勢。取代者的大腦更發達，而且善於製造和使用石製工具，這樣他們就可以捕殺更大的動物，也能採集到更多植物的果實。

人類的發源地

歐洲說

歐洲曾一度被認為是人類的發源地。在一八二三年至一九二五年間，人們在歐洲陸續發現了一百一十六個猿人階段的海德堡人人骨，二百三十六個新石器時代的人骨。而當時除了爪哇猿人外，在亞洲其他地區和非洲還沒有找到過古人類遺址。最早發現的古猿化石也出土於歐洲，即一八五六年在法國發現的林猿化石。後來，隨著亞非兩地更多人類化石被發現，人類起源歐洲說才逐漸退出了舞臺。

非洲說

從二十世紀六十年代起，人們公認人類的發源地在非洲。一八七一年，達爾文推測人類是從舊大陸某種古猿演化來的。他根據動物分布的規律得出結論，認為古代非洲必定棲息著與大猿、黑猿極其相近的已經滅絕的猿類。而大猿，特別是黑猩猩，與人類的親緣關係較之其他動物是最近的，所以人類的祖先最早居住在非洲的可能性，比其他各洲要更大一些。

從二十世紀二十年代開始，在非洲首先發現了南猿化石，接著許多猿類化石和古人類遺骸，也陸續被考古學家發現。二十世紀五十年代後，人們在非洲找到了大量的古猿、南猿和直立人的化石，這些化石為非洲是人類發源地的說法提供了事實依據。在非洲肯尼亞的圖爾卡納湖岸和坦桑尼亞的奧杜瓦伊峽谷所發現的化石，證明三百多萬年以前，在這裡曾經有類人的動物居住過。有些科學家根據這些證據認為東非大裂谷就是人類的發源地。

但是，也有人不同意人類起源於非洲這種說法。他們的理由是：第一，達爾文忽視了動物遷徙的問題。按照動物遷徙的規律來說，牠們的祖先應該到遠離現在分布區的地方去尋找。第二，古猿變成人，需要外界的刺激力，比如地區環境的變化等。但是，現在的科學研究表示，非洲地區從中新世（約二千三百三十萬年前至五百三十萬年前）以來，環境變化不大，刺激古猿進化成人類的外界力量很小。第三，在動物地理分布或區系劃分上，非洲大陸和亞洲大陸同居「古北區」。那麼我們可以推測，在非洲發現的大量猿類化石和在亞洲大陸發現的關係很密切。也許，古猿是從亞洲遷移到非洲的。那麼，人類有沒有可能起源於亞洲呢？

亞　洲　說

人類起源亞洲說早在一八五七年就有人提出了。他們的理由是：第一，非洲缺乏「外界刺激」，中亞卻有。喜馬拉雅山的崛起，使中亞地區高原地帶動物的生活比低地困難，對於動物演化來說，受刺激產生的反應最有益處，這些外界的刺激可以促使人類進化；第二，按哺乳動物遷徙規律來說，常常是最落後的類型被排斥到散布中心之外，而最強盛的類型則留在發源地附近繼續發展，因此在離老家比較遠的地區反而能發現最原始的人類。恰好當時發現的唯一的早期人類化石是爪哇直立人，和這一假說正好吻合。

人類的發源地究竟是非洲還是亞洲，我們現在還無法確定。看來，我們只能期盼著更多的考古資料的出土來解答這個問題了。

南方古猿

古類人猿最早出現在非洲東南部，由原始猿類進化而來，分化為低等類人猿（如長臂猿）、高等類人猿（如猩猩）和古猿等。

約一千二百萬年前，地殼運動使非洲東部的大地上形成一條大裂谷，把非洲大陸上的動物分為東方和西方兩個獨立的系統。大裂谷的阻隔是人和猿分道揚鑣的關鍵。

裂谷之西依然是茂密濕潤的樹叢，猿類不需要做出太大改變就能生存下來，這也注定了牠們一直停留在猿類的階段，如大猩猩。裂谷以東由於地殼變動，降雨量減少，林地消失，草原出現，大部分現今猿類共同的祖先族群逐漸滅絕，只有一小部分慣於攀爬的猿類適應了新環境，學會在地面上活動，在開闊的環境中生活，形成了獨特的演化模式，避開了滅絕的危機。在八百萬年前至五百萬年前，有些類似於黑猩猩的猿類在雨林周圍與稀樹大草原的連接地帶，成功建立了奠基者群體，並成功地進化成南方古猿——一種被稱為「正在形成中的人」的群體。

南方古猿為了適應新環境，不得不開始用雙足行走，但是牠們仍保持著樹棲的習慣。南方古猿沒有改變牠們祖先的多數性狀，比如個頭較小、腦較小、臂長、腿短。南方古猿的門牙比人類的要大得多，並且臼齒也很大，因此，牠們在很大程度上屬於食草動物。

根據身高、體重的區別，南方古猿基本可以分為兩種類型（也有學者認為有三至四種類型）：粗壯型和纖細型。已經證明存在過的兩種纖細型南方古猿，是從埃塞俄比亞到坦桑尼亞的東非南方古猿阿法種和南非的南方古猿非洲種。這兩種南方古猿的腦容量都比較小，大約為四百三十至四百八十五毫升。南方古猿非洲種距今的年代較近，而且除了肢體比例外更像人類。在南部非洲，生活過南方古猿粗壯種，在東部非洲還發現了生活在三百五十萬年前至三百萬年前的南方古猿鮑氏種。這些粗壯型的南方古猿顯得很有力氣，但牠們可能非常平和，可以和其他纖細型的南方古猿生活在同一區域。

能　人

約二百五十萬年前至一百五十萬年前，南方古猿中的一支進化成「能人」，最早在非洲東岸出現。能人的意思是能製造工具的人，是最早的人屬動物。能人的腦容量大約為四百五十至六百毫升，與南方古猿的腦容量相近。能人屬於南方古猿中較晚出現的一個物種。能人從舊石器時代開始，經過數十萬年的演化，最終被直立人所取代。

現代智人

約五萬年前至四萬年前，天氣開始轉暖，冰河時期漸漸結束，此時的人類得到進一步的進化，發展成為現代智人，其體質已與現代人類沒有太大的差別。那麼，現代智人有什麼特性，他們起源於何處，又是如何進化而來的呢？

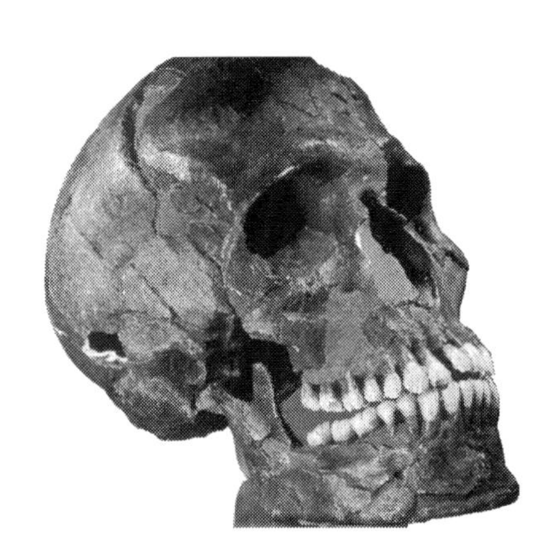

智人頭骨

相對於早期智人，現代智人的面部及前部的牙齒較小，眉脊高度降低，顱骨高度增加，使其整個腦殼和面部的形態與現代的人十分相似。現代智人的腦容量達到了一千四百毫升以上，整個軀幹的結構表示他們已經能直立行走。他們的出現說明現代人類體質發展的過程，已經到了最後完成的階段。

關於現代智人的起源問題，目前存在兩種截然不同的假說。一種假說認為，現代智人在約十萬年前起源於非洲，並走出非洲逐漸擴張到世界各地，這種假說被稱之為非洲起源說；另一種假說則認為現代智人是由直立人進化而成的。這種假說被稱為多地區進化假說。

在埃塞俄比亞東北部地區發現的三個頭骨化石，是年代最早、保存最完整的「現代人類直系祖先」化石，它們包括一個基本完整的成年男子頭骨、一個兒童頭骨和一個殘缺的成年人頭骨。科學家研究發現，他們是人類進化過程中的一個重要環節。因為這些頭骨已經顯現出現代人類的面部特徵：明顯的前額、扁平的面部和淡化的眉毛，這與早期人類向前凸出的頭骨特徵已大為不同。

那麼，現代智人是否是由直立人進化來的呢？在直立人發展到現代人的過程中，必定有一個中間階段。解剖學的證據表示，尼安德特人的頭骨有許多原始的近似猿的形狀，這說明尼安德特人很有可能是從直立人發展到現代人的中間環節。

究竟是什麼樣的直立人進化成了現代智人？在這個問題中，有一個關鍵點就是尼安德特人的命運問題。尼安德特人究竟到哪裡去了呢？他們是現代智人起源的祖先嗎？科學家從考古挖掘的地層中發現，尼安德特人的突然消失，並被現代智人所代替的現象，這種迅速的變化發生在三萬年至四萬年之間。這樣短的時間裡，可能發生這樣巨大的變化嗎？近來的衆多證據都表示，實際上進化的時間要長得多。這也就是說，直立人進化為現代智人是值得再認真思考的問題，是需要更多的考古資料來證明的。

尼安德特人之謎

尼安德特人生活在約二十萬年前，在人類歷史上具有十分重要的地位。由於他們的骸骨最早在德國西北部的尼安德特河流域被發現，因此，人們稱之為「尼安德特人」，簡稱「尼人」。

根據出土的尼安德特人的顱骨，人們發現他們的外貌特徵與猿十分相似，但腦容量跟現代人相差無幾，有的甚至還要大些。他們長得粗壯結實，體型和身高與現代的因紐特人差不多。

尼安德特人比直立猿人進步得多，已經能製造相當精緻的工具，例如製造刃口鋒利的石器大片。尼安德特人還會人工取火，進行大規模的狩獵活動，例如他們懂得利用懸崖，把千百匹野馬趕入絕地。更令人驚訝的是，尼安德特人學會了埋葬，並懂得照顧同伴。這些都說明尼安德特人的智力已經相當發達。但是，在大約七萬年前，興旺一時的尼安德特人卻突然滅絕了。

尼安德特人真的滅絕了嗎？現在的一些偏遠山區有沒有他們的後裔呢？

從十五世紀起，許多部落的人們和一些探險家，多次發現一些神祕且難以接近的生物。二十世紀初，俄國革命期間，一名駐防帕米爾山脈的紅軍軍官宣稱，他的士兵發現一個奇怪的生物並將其射殺。他對那個生物進行了詳細描繪：「前額傾斜，眉毛粗重，鼻子極為扁平，下頜闊大凸出，身材中等。」這些特徵與尼安德特人的外形特徵極為吻合。

如果這些情況能被證實的話，那麼，尼安德特人可能沒有滅絕，只是後來出現了更有才能的智人取代了他們的地位，尼安德特人只好退居荒野，依靠原始的獸性力量來維持生存。

還有一些人則認為尼安德特人沒有消失，他們與其他人種雜交融合了。這一觀點認為，尼安德特人生存的地域橫跨歐亞非三洲，數量龐大。智人興旺時，人數很有限，不可能消滅世界上所有的尼安德特人，他們很可能與尼安德特人通婚，於是尼安德特人漸漸被融合，並淡出歷史。

也有不少學者認為，在生存競爭中的落後性，導致尼安德特人在進化中被智人滅絕了。他們指出，不少尼安德特人的化石都顯示出他們曾受過重創，這很可能是與智人搏鬥後留下的。

贊成尼安德特人已滅絕的學者很多，理由是尼安德特人生活在小群體內，實行群內通婚，後代受到近親通婚的影響導致體質下降。尼安德特人眉脊突起，額葉收縮，正是其退化的表現。因此，他們認為尼安德特人因為在生存競爭中處於不利地位而被滅絕。

尼安德特人究竟何去何從，人類歷史上沒有留下明確的記載。但我們相信，關於尼安德特人的謎團總有一天會被解開。

神祕的扎賚諾爾人

扎賚諾爾

扎賚諾爾位於中國東北的海拉爾市以西一百六十八公里處。它的東、南、北部是巍然矗立的呼倫貝爾高原，西部是氣勢磅礴的高爾真山丘陵。扎賚諾爾，即是「達賚諾爾」（達賚湖）音轉。

扎賚諾爾的猛瑪雕塑

扎賚諾爾人的歷史

一九二七年，考古學家在扎賚諾爾的地下發掘出了新石器時代的文化遺址。一九三三年，顧振權在這裡發現了第一個人頭骨化石。一九三九年，日本古人類學家遠藤隆次把這個人頭骨化石定名為「扎賚諾爾人」。從此，「扎賚諾爾人」就成了古人類學和考古學上的專用名稱。一九四三年，日本考古學家嘉納金小郎發現第二個人頭骨化石。後來，又連續發現了十幾個扎賚諾爾人的人頭骨化石。

經過研究發現，扎賚諾爾人遺址約在距今五萬年至一萬年之間。透過對扎賚諾爾人頭像的復原，我們可以大致地看出他們頭部的形態：顴骨凸出，門齒呈鏟狀，內側成弧形，眉弓粗壯，這都是典型的原始黃種人特徵。

古人類學認為，在晚期智人階段即「新人」、「真人」階段，原始人的體質形態與現在人類沒多大區別，現在世界上的三大人種：黃種（蒙古利亞人種）、黑種（赤道人種）、白種（歐羅巴人種）在這個時期已形成。

原始扎賚諾爾人對石器的製造和加工有了較大的進步，已具有較高的勞動技巧和活動能力。他們改善了打擊、琢削、壓削和修理石器的方法，製作出的石器更加多樣，更加精細美觀，鋒利適用。他們尤其善於把精製的石片嵌入骨柄中，製成帶骨柄的刀或鋸，適於剝獸皮或樹皮。他們懂得利用骨針和骨錐，把獸皮縫製成衣服，不再完全赤身裸體了。製陶術的發明，是扎賚諾爾人處於新石器時代的重要標誌之一。他們把一團黏土做成陶坯，然後再用火燒。陶器的出現便利於儲存液體，這是他們生活發展中的一大進步。

扎賚諾爾人之謎

扎賚諾爾人究竟是從哪裡來的？許多學者認為，扎賚諾爾很可能是原始黃種人遷徙的中轉站，東往朝鮮、日本遷移，成為朝鮮人、日本人的祖先。他們還猜測，在大約五萬年前，扎賚諾爾人的祖先從亞洲的東北部，經過現在的白令海峽進入美洲。古地質學的研究證明，那時白令海峽有一條把亞洲與美洲相連接的陸橋。扎賚諾爾人很可能就是透過這條可以通行的陸橋到達美洲的，由北向南逐漸散居，分布於美洲各地，成為美洲印第安人的最早祖先，並且形成了具有各種不同文化和不同語言的部落和部族。

扎賚諾爾人的真相到底如何？他們究竟是從哪裡起源的？怎樣向亞洲、美洲各地遷徙的？是不是美洲印第安人的最早祖先？這些問題至今仍然是無法解開的謎。

奇異的稀有人種

一九九一年，日本科普期刊《科學朝日》從當代科學界重大課題中篩選了七大難題，提出現代科學的世界七謎，其中之一就是人類的起源問題。事實上，美國科學界也將人類的起源問題列為現代科學的六大懸案之一。

我們不斷探索著：人類是從哪裡來的？人類來到這個世界的真正目的是什麼？近百年來，人們在世界各地陸續發現了一些十分稀有的人種。而這些人種的存在，促使我們對人類和生命起源的問題進行更深入的思考。

恐　龍　人

法國巴黎大學植物學教授拉坦博士在非洲扎伊爾的原始森林中，發現了一個奇特的人種部落。他們的脊椎骨都突出體外，有的長達幾公分，與我們熟知的食肉恐龍的脊椎骨很相似，由此他們被稱為「恐龍人」。拉坦博士推測，這些人是從史前爬行動物直接演化而來的。

但她不願意透露該部落的準確方位，只是說在扎伊爾著名的斯蒂恩萊瀑布西南約四百八十公里的密林中。

這些恐龍人的祖先是誰？應該不會是猿類吧！因為地球上還沒有發現背上長角的猿類。

蜥　蜴　人

二十世紀三十年代，美國南卡羅來納州比維市郊的沼澤地區，人們發現過「蜥蜴人」。他們高達兩公尺，長著一條大尾巴，每隻手僅有三根手指，可以直立行走，力氣驚人，能輕易掀翻汽車。這些生活在沼澤中的類人生物，其祖先又是誰呢？

鴕　鳥　人

在非洲南部還發現過「鴕鳥人」，他們的腳趾只有兩根，形成夾角，有趾甲，有的趾中還有短蹼。這些人又是從哪裡來的呢？

越來越多的奇異人種的出現，讓人們對人類起源這個問題更加迷惑不解。達爾文的進化論中關於人類起源的假設，並沒有完全解開人們心中的疑惑。至今，「人類是從哪裡來的」這個問題，依然是個難解之謎。

神祕的進化力量是否失效

有人認為，曾經對人類形成起決定作用的神祕進化力量已經失效了，人類的進化演變已經停止。然而，並不是所有的人都同意這一觀點。倫敦自然歷史博物館的斯特林格教授認為，人類仍然受著自然力量的影響和支配。

根據達爾文的自然選擇原理，最能適應環境的動物個體能夠活得更長，從而繁衍更多的後代，使得這一物種得以延續下去。例如，一種以樹葉為食的有蹄動物，有些脖子長，有些脖子短。隨著時間的流逝，在這種動物生活的地區內，低處的樹葉逐漸被吃光，脖子長的動物由於能夠吃到高處的樹葉，所以能活得更長，有更多的後代。慢慢地，那些脖子短的有蹄動物被自然淘汰了，走向了滅絕；留下來的，脖子則變得越來越長，最終進化成長頸鹿。

有人認為，在目前的情況下，這種自然選擇的作用在逐漸消失。在以前，人們的壽命長短和繁殖能力存在著很大的差異。截止到英國維多利亞女王時代，倫敦的死亡率總是大大超過出生率。有一半的孩子還沒有成年就夭折了，也許是因為他們缺乏抵抗疾病的基因。但是現在，孩子長大成人的機率卻達到了百分之九十八。可見，在這一方面，人類已經進化得夠好了。在西方發達社會中，人們的基本物質需要可以得到滿足，醫療保健水平也相當發達，因此自然對人類的影響已經越來越小。而在落後的國家中，這一觀點卻不那麼適用，所以有可能對於落後國家中的人們，自然選擇依然存在。

美國華盛頓大學的沃特教授認為，自然對人類進化的影響已經微乎其微。只有人類自己的生物工程學，才能使進化演變產生巨大變化。他說：「透過生物工程學，人類可以改變自己的身體，從而延長自己的壽命。當人們可以活到一百五十歲，而其中一百多年都有生殖能力的時候，人類就會發生巨大變化。人類會繁衍許多子孫，人類的進化將開始轉變。」

也有很多人始終認為，進化無時不在，而人類的干預無法阻止進化的腳步。明天我們會是什麼樣子？也許，只有時間才能告訴我們答案。

血型進化的歷史

血型是對血液的一種分類，通常是指紅細胞的分型，其依據是紅細胞表面是否存在某些可遺傳的抗原物質。人類血型可分為四種：O型、A型、B型和AB型。最近，科學家發現各種血型並不是在人類身上同時出現的，而是在不斷進化過程中，人類在不同的氣候地區定居下來後逐漸形成的。

O型血的歷史最為悠久。它大約出現於西元前六萬年至西元前四萬年之間，當時的尼安德特人吃的是簡單的食物：野草、昆蟲和從樹上掉下來的果實，或猛獸吃剩下的食物。而四萬年前出現了克魯馬依人，他們以狩獵為生。在獵光了所有的大型野獸後，他們從非洲向歐洲和亞洲轉移。

A型血出現在西元前二萬五千年至西元前一萬五千年之間。當時，人類以果實為生的祖先逐漸變成以雜食為生。隨著時間的推移，農耕成為住在歐洲土地上的人們的主要生產方式。野禽野獸開始接受馴養，人的飲食結構隨之發生變化。現在，絕大多數A型血的人都居住在西歐和日本。

B型血出現在約西元前一萬五千年至新紀元之間。當時，東非的一部分人被迫從熱帶稀樹乾草原遷徙到寒冷而貧瘠的喜馬拉雅山一帶。氣候的變化是催生B型血的主要因素。這種血型最開始出現在蒙古人的身上，隨著他們不斷向歐洲大陸遷徙，導致現在很多東歐人都是B型血。

AB型是這四種血型中最後出現的，它的出現還不到一千年的時間，是「攜帶」A型血的印歐語民族和「攜帶」B型血的蒙古人混雜在一起的產物。AB血型的人繼承了耐病的能力，他們的免疫系統更能抵抗細菌，但他們易患惡性腫瘤。

一些科學家認為以後完全有可能出現第五種血型，一種新的血型，比如說C型。有可能只有這種新血型的人，才能在人口過於稠密、自然資源所剩無幾的嚴重污染的世界裡生存下來。

人類迷蹤

人類的身體極限是多少？海裡真的有美人魚嗎？傳說中的「雪人」究竟在哪裡？蒼莽的森林裡到底有沒有野人，他們是否是人類不斷發展和演化過程中的另類？一系列的謎題讓這些奇異生命更加神秘，也讓我們更加著迷。一代又一代的科學家探尋著他們的蹤跡……

人類基因之謎

基因決定著我們的相貌、身高，影響著我們的興趣、愛好，甚至隱藏著可怕的病變。基因是與生俱來的，它所攜帶的病毒人們無法預防，所引發的疾病醫生也難以醫治。

近年來，有科學家宣稱，在不遠的將來他們能夠自主修補生物的基因。這是真的嗎？人類的基因能夠隨意「組裝」嗎？

什麼是基因

基因也被稱為遺傳因子，是指攜帶有遺傳信息的DNA序列。它是一條由四種脫氧核苷酸分子連接而成的長鏈，具有獨特的雙螺旋結構。基因所攜帶的遺傳信息影響著生物的外部形態和內部屬性。

對人類來說，基因決定著你是亞洲人還是歐洲人，是捲髮還是直髮，是黑眼珠還是藍眼珠。同時，人類所得的許多疾病也與基因密不可分。如果父母基因分子鏈上的遺傳物質存在異變，那麼這個病變信息也極有可能傳遞給兒女，從而產生疾病。但是，科學家們指出，基因病也不都是與生俱來的。隨著現代分子生物學的發展，醫學家發現，人類在出生以後的成長過程中，也可能因病毒感染引起基因變化，從而產生基因病。

基因突變

一般情況下，基因會毫無變化地由一代傳遞給下一代，但有時也會發生基因突變的情況，也就是說可能因有毒物質的作用、傳染或身體暴露於放射性物質下而導致基因結構本身發生變化，這些結構發生了變化的基因被稱為「變異基因」。而遺傳了變異基因的後代將顯示出不同於祖先的特徵。

英國女王維多利亞家族在她以前沒有人得過血友病，但是她的一個兒子患了血友病，成了她家族中第一個患血友病的成員。後來，在她的外孫中又有幾個人患了血友病。由此可知，在女王的父親或母親中可能產生了一個血友病基因的突變。這個突變基因傳給了她，而她的表現型是正常的，但卻透過她傳給了她的兒子。這就是典型基因突變的事例。

基因突變的後果除了引起遺傳病外，還可能造成死胎、自然流產和出生後夭折等情況，這被稱為致死性突變；也有可能對人體並無影響，僅僅造成正常人體間的遺傳學差異；甚至可能給個體的生存帶來一定的好處。

修補基因的夢想

聯合國有一個人類基因組計畫。在這個計畫中，科學家們根據現有的信息，繪製出人類基因草圖。這張草圖已於二〇〇〇年六月二十六日完成，它被譽為是繼達爾文的「生物進化論」以後，最有意義的生物學發現。

根據基因圖譜提供的信息，人類有望最終解決一些遺傳性疾病。科學家可以根據每個人特有的基因圖譜，預測其患有某種潛在疾病的可能性，從而進行有效地預防；或是直接向人體導入功能基因，修補缺陷基因，達到治療的目的。對於癌症等後天引發的基因疾病，科學家也可以有針對性地研製和開發相應的基因工程藥物，使這些疾病得到治癒。

我們希望在不久的將來，科學家們能夠實現這一夢想，給人類造福。

基因的特點

基因有兩個特點：

一是能夠忠實地複製自己，以保持生物的基本特徵；

二是能夠「突變」，突變絕大多數會導致疾病，另外的一小部分是非致病突變。非致病突變給自然選擇帶來了原始材料，使生物可以在自然選擇中，被選擇出最適合自然的個體。

探祕「人類極限」

我們常常在報紙或電視中看到這樣一些報導：美國的約翰·倫德斯特朗雙手提著四百六十一公斤的大石頭走了八點八四公尺；非洲贊比亞的卡帕皮洛能兩手拖住向相反方向開動的兩輛汽車；中國的陸國柱躺在鋪滿碎玻璃渣的木板上，身上壓著重約五十公斤的大木板，邀十三名觀衆站在木板上，任其踩踩；更有遠距離接住炮膛飛出的鐵球，任汽車從身上輾過的事例。

極限運動

還有些普通人一旦遇到危險或身處絕境時，也會發揮出意想不到的潛在能力。一位中年婦女在火災中，把一個樟木衣櫃從三層樓上搬了下來，而火災一過，她卻怎麼也搬不動它了。

還有一架因故障在北方某地迫降的飛機，正當飛行員查看飛機起落架的時候，突然有隻熊抓住了他的肩頭。飛行員在急切之中竟然一躍跳上了離地面大約兩公尺的機翼！而且是穿著笨拙的皮鞋，沉重的大衣！這些超體力的現象該如何解釋呢？

有一些科學家從精神力量角度來探討人的體力問題。他們從一系列人在危險事件中所顯示出的巨大體力的事例中得出，精神力和求生的本能可以擴大人的體力和忍耐力的結論。

那麼，人體到底有多大的潛力呢？據統計，常人的閱讀速度為每小時三十至四十頁，經過訓練的人卻能達到每小時三百頁；人腦興奮時，有百分之十至十五的細胞在工作；人腦可儲存多達十億個信號，而留在記憶中的卻只有一小部分；人的骨骼的承受能力，如股關節承受力是體重的三到四倍，膝關節是五到六倍，小腿骨能承受七百公斤的力，扭曲的負荷力是三百公斤。

那麼，為什麼很少有人能達到這個極限呢？顯然，科學家目前還不能完全解釋這一問題，尚需繼續探討研究。

人體忍受高溫的限度

科學家曾對人體在乾燥的空氣環境中所能忍受的最高溫度做過實驗：人體在七十一℃的環境中，能堅持整整一個小時；在八十二℃時，能堅持四十九分鐘；在九十三℃時，能堅持三十三分鐘；在一百零四℃時，則僅僅能堅持二十六分鐘。

人能長生不老嗎

兩千多年前，秦始皇曾派方士徐福漂洋過海去尋找「長生不老藥」，但是沒有結果。那麼，世界上到底有沒有「長生不老藥」？人類能否長生不老？隨著現代科學技術的迅速發展，科學家們對這個問題進行了一系列的探索，並且已經取得了一定的成果。

長生不老的可能性

科學家在研究生命進化時，發現地球上最早產生的生命都是不會衰老的，它們的死亡全是由外因引起的。原始生命都是單細胞動物，牠們用自我複製的方式繁衍，不能產生下一代生命，因此必須具有「長生不老」的特性才能生存下來，否則就會因衰老而滅絕。 生物發生個體衰老的現象應該是在出現有性生殖現象後，因為有性生殖可使生命重組，產生新一代生命，生物在有產生後代的能力後出現衰老，才不會引起物種的絕滅。

人體的生命依賴於組織幹細胞，無論人有多大的年紀，只要人還活著，就表示人體組織中仍然有幹細胞存在。而幹細胞的減少是一個可逆的過程，只要設法促進人體組織中幹細胞的分裂，就可以提高人體組織中幹細胞的比例，延長人的壽命，達到長生不老的目的。

端粒酶

科學家在尋找導致細胞死亡基因的過程中，發現了一種叫端粒酶的物質，存在於染色體的頂端。端粒酶本身沒有任何密碼功能，它就像一頂帽子戴在染色體頭上。在新細胞中，細胞每分裂一次，染色體頂端的端粒酶就縮短一次，當端粒酶不能再縮短時，細胞就無法繼續分裂了。這時候，細胞也就到了人們普遍認為的分裂一百次的極限並開始死亡。

因此，端粒酶被科學家們視為「生命時鐘」。走在端粒酶研究前列的美國，正在傾注全力尋找能調控端粒酶產生的基因物質，以便生產出使人長壽的藥物。

死亡激素

國外科學家們發現，死亡與生物自身產生的一種被稱為「死亡激素」的物質有關。生物學家們對雌章魚為什麼會在生兒育女後死亡這一問題進行了仔細研究，發現奧祕存在於章魚眼窩後面的一對腺體上。這對腺體到了一定時候就會分泌出一種化學物質，導致章魚自身死亡。這種化學物質被稱為「死亡激素」。

人類有沒有類似章魚的這種「死亡激素」呢？經過研究發現，人類也存在類似的這種物質。人類的「死亡激素」長在人腦之中。人腦內有一個特別重要的腺體——腦垂體，雖然它只有五克重，還沒有蠶豆粒大，但它調節、控制著人的生長發育、生殖及新陳代謝，最重要的是它還促使甲狀腺分泌甲狀腺素。人類一旦缺少甲狀腺素，就會感到渾身乏力，也和雌章魚一樣不想吃東西，而且一旦甲狀腺素停止分泌，人就會衰竭死亡。科學家的研究證明，人的腦垂體也定期釋放「死亡激素」。「死亡激素」影響人的生命，會使人走向死亡。

找到了原因，人類延長壽命就有了希望。但是，要延長人類壽命，不可能簡單地把腦垂體切除掉，因為這種方法同時也斷絕了人類必需的其他各種激素的來源。所以，要想「長生不老」，還需要科學家們進一步探索。

人類為什麼有不同的膚色

科學家們認為，人的膚色與他們的祖先居住的地方有關，並由此提出了種種理論，試圖解釋人類不同的膚色是如何形成的。

皮膚的顏色取決於一種叫黑色素的化學物質。皮膚裡的黑色素越多，膚色就越深。例如，膚色淺的人在陽光下待久了，皮膚裡會產生大量的黑色素，膚色就會變黑。白化病患者的皮膚裡由於沒有黑色素，因此他們的皮膚通常是粉紅色的，這其實是血液透過無色的皮膚呈現出的顏色。

陽光中的紫外線會曬傷皮膚，甚至導致皮膚癌，黑色素則可以吸收陽光中的紫外線，保護皮膚免受紫外線的傷害。皮膚中黑色素越多，吸收紫外線的能力也就越強。紫外線對皮膚的作用，為科學家們探究人類膚色的演變過程提供了有力的線索。

來自非洲的類人猿曾經身上長滿軟毛，這些毛起到了隔離紫外線的作用。在幾萬年的進化過程中，他們的體毛逐漸消失了。雖然沒有人知道為什麼會出現這樣的變化，不過他們光潔的皮膚暴露在強烈的日光下。由於黑色素可以保護皮膚免遭紫外線的傷害，因此膚色深的人就比膚色淺的人生存能力更強。於是，更深的膚色被一代一代傳承下來，生活在非洲的人類祖先就演變成為黑色的皮膚。

然而，隨著人類逐漸向北遷移，他們發現往北的天氣比非洲冷得多，光照也比非洲弱。這種氣候給他們的生存帶來了新的威脅。適量的紫外線照射有助於身體製造出維生素 D——一種人體必需的微量元素。歐洲地區的光照強度低，陽光中紫外線的含量也少。第一批到達歐洲的人類由於皮膚中的黑色素含量過高，妨礙了適量紫外線的吸收，因此有些兒童可能因為缺乏維生素D而患上佝僂病。所以在歐洲，淺膚色人群的存活率比較高。同樣地，淺色的皮膚被一代又一代地傳承下來。

現在，遍布於世界各地的膚色不一的人們，也反映了世界各地的氣候狀況：在光照不足的斯堪的納維亞半島，居民的膚色最淺；陽光較充足地區的居民，皮膚呈現出金色或淡棕色；而居住在非洲和澳洲的土著居民則擁有最黝黑的皮膚。

藍色皮膚的人

美國加利福尼亞大學的生理學家韋西在智利安第斯山脈探險時，在澳坎基爾查峰海拔六千六百公尺處發現了藍色皮膚的人種。不但在智利，人們在喜馬拉雅山、非洲的西部地區也曾發現過藍色皮膚的人種。如果按人種來劃分的話，這是一個全新的人種。

瞳孔洩露的祕密

瞳孔是位於動物和人的眼睛中央的一個小圓孔，它是光線進入眼睛的通道。科學家們透過對瞳孔的研究，發現了一個有趣的現象：當人們高興或看到喜愛的事物時，瞳孔就會放大，

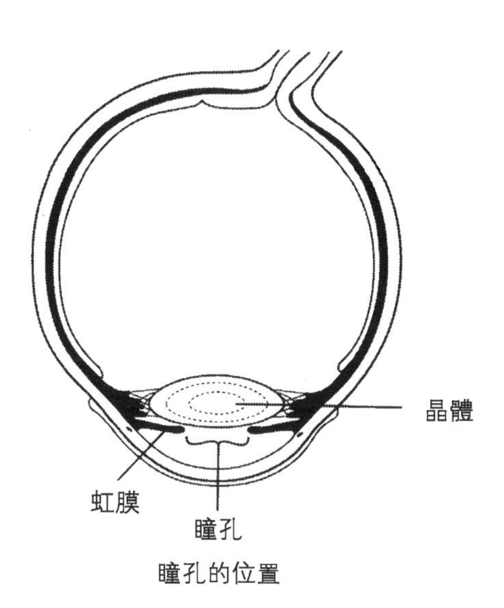

瞳孔的位置

例如，當愛慕的人出現在自己面前時，人的瞳孔就會放大，表現為含情脈脈的樣子；當人們遇到憎惡或害怕的事物時，瞳孔就會縮小，例如，當人見到毒蛇的圖畫時，瞳孔就會自然縮小。

因此，我們可以藉由瞳孔這道「誠實」之門，來探究隱藏在人們內心微妙的情感和信息。例如，我們可以

觀察一名做數學題的學生，如果他的瞳孔擴張，呼吸加快，就知道他正處於緊張的精神狀態中；如果他的瞳孔恢復正常，呼吸也漸於平穩，說明他已經求出答案。

又如，在市場研究中，研究員可以讓一批人品嚐多種汽水，然後從他們瞳孔的擴張或收縮程度，來發現他們對各種飲料的喜愛程度。

心理學家還可以用觀察瞳孔的方式來測謊。在一次實驗中，一些女性看到男性模特兒的照片時，雖然表面上無動於衷，但是她們的瞳孔卻擴張了，這說明她們說謊了，她們其實喜歡那些照片。在另一次實驗中，心理學家讓接受實驗的人觀看一套現代抽象畫。有些自稱喜歡現代藝術的人，看到其中許多幅畫時，瞳孔卻收縮，這說明他們其實不喜歡那些畫。

觀察瞳孔的變化還有很多用途。有些魔術師玩紙牌魔術時，無論安插的是哪一張牌，他都能說出來。這是因為安插者看見魔術師翻到那張牌時，安插者的瞳孔會擴大。

肉眼看不見的「人體輝光」

在古今中外的許多宗教繪畫中，為了顯示神佛的超凡和偉大，往往都會在其頭上畫上光環。其實，生活在現實世界中的任何一個普通人身上，同樣也有一道光環，只不過不為人的肉眼所見罷了。

早在一九一一年，英國醫生華爾德·基爾納採用雙花青染料塗刷玻璃屏時，首次意外地發現了環繞在人體周圍寬約十五公釐的發光邊緣。其後不久，蘇聯科學家西邁楊·柯利爾透過電頻電場的照相術，把環繞人體的明亮而有色的輝光拍攝了下來。後來，這一有趣的發現受到了全世界眾多科學家的廣泛關注。

二十世紀八十年代後，日本、美國的科學家們相繼使用先進高科技儀器對「人體輝光」進行研究，試圖把「人體輝光」之謎解開。

日本新技術開發事業團採用了具有世界上最高敏感度的、用於檢測微弱光的光電子倍增管和顯像裝置，成功地實現了對「人體輝光」的圖像顯示，並把這種輝光稱為「人體生物光」。他們還把這一科學研究成果應用到了醫學研究上。他們對志願接受檢查的三十位病人進行了生物光測試，最後的測試結果表示，甲狀腺功能衰退者、甲狀腺切除者及正常人在夜間睡眠時，不僅其身體的新陳代謝會減緩，其生物光強度也會減弱。

尤其令人驚奇的是，科學家在研究「人體輝光」的照片時發現，照片中的輝光明亮閃光處，與中國古代針灸圖上標出的針灸穴位相吻合，而每一個人又都有一種獨特的輝光樣式。另外，美國科學家研究指出，在人體內疾病產生前，輝光會呈現出一種模糊圖像，好像受到雲霧干擾的「日冕」；而人體癌細胞生長時，則會出現一種片雲狀的輝光。

蘇聯研究人員曾對酗酒者進行「人體輝光」的追蹤拍攝，他們發現飲酒者在剛剛開始端杯時，環繞在手指尖的輝光清晰、明亮。當人喝醉酒之後，指尖輝光會變成蒼白色。同時，他們還發現輝光無力並且向內閃爍著收縮，變得黯淡異常。他們對吸菸者也做了類似的試驗：一天只吸幾支菸的人，其輝光基本上保持正常狀態；而當吸菸量增大時，「人體輝光」便會呈現出跳動和不協調的光圈；如果是吸菸上癮的人，輝光會脫離與指尖的接觸而偏離中心。

現在，對「人體輝光」的研究正在深入地進行中。各國專家試驗將其應用到醫學上，甚至還有人設想把它應用到保健上。如在家庭中設立「輝光檔案」，透過電腦監測裝置進行「遙控保健諮詢」。

另外，「人體輝光」會隨著大腦活動的變化而發出程度不同的光亮，所以有人想把它應用到犯罪學上，譬如在對犯人進行審問時，可以發現其是否在說謊等。

但是，截至目前，「人體輝光」的成因還是個謎。有人認為，這是人體的密碼文字；有些科學家則認為，「人體輝光」是自然界一切生命的特別現象，是像空氣一樣的複合物；還有人說這是一種由水汽和人體鹽分跟高電場相互反應的結果。總之，眾說紛紜，莫衷一是，但「人體輝光」仍以其特殊的魅力吸引著眾多的科學家去探索。

令人驚奇的費洛蒙

一個陌生人與你僅有一面之緣，卻在你的記憶裡留下了深刻的印象，甚至影響你心情的起伏。為什麼會這樣呢？最近的科學研究揭開了這個謎底，這是由一種看不見摸不著的物質——人類與生俱來的外激素費洛蒙造成的。

對費洛蒙的探究

人們對於費洛蒙的研究，最早可追溯到二十世紀初，法國科學家法布爾開始研究昆蟲費洛蒙。一九五九年，德國化學家布特南對雌性家蠶吸引雄性家蠶這一現象進行研究時，提煉出了第一個費洛蒙分子——家蠶醇。

一九五九年一月，德國科學家皮特・卡爾森和馬丁・魯施正式把這種化學物質命名為「費洛蒙」。這一名詞所表達的內容，既不同於當時已經存在的外激素，也不同於廣為人知的荷爾蒙。

一九八七年，加拿大籍科學家斯特希發現雌性金魚在繁殖排卵時會釋放出費洛蒙，使得雄金魚的精囊擴大，以幫助自己受精，這是人類首次發現脊椎動物也能釋放費洛蒙。

在很長一段時間內，人們認為只有較簡單的動物才會釋放費洛蒙，用來求偶和自我保護等。但後來，瑞典湖丁大學附屬醫院科學家發表的研究成果，證明費洛蒙對人體也會產生影響，揭開了人類是否具有外激素的科學之謎。他們做了一個實驗：分別讓十二名男子和十二名女子聞一系列氣味，一種是普通的空氣，一種是香草香精，再一種是跟雄激素或雌激素類似的化學品。這些測試者分別聞這些物質一分鐘，與此同時，科學家埃文卡・撒維斯與同事利用造影技術分別掃描了他們的腦部，發現聞過雌激素的男性其腦部下視丘血液流量會增加，聞過與睾固酮相仿化合物的女性腦部下視丘血液流量也會增加。

費洛蒙的作用

費洛蒙是生物體分泌的交換信息的微量化學物質，不同於體內的荷爾蒙。荷爾蒙多是藉由血液來傳送，並作用於細胞或組織的，而費洛蒙則是透過氣息釋放到體外的，並且是在限定範圍內影響其他生物體，引起同類其他個體的反應。比如，各種螞蟻之所以能夠組成群體，有紀律地從事捕食、求偶、繁殖、抵抗外敵等活動，全靠蟻王以及螞蟻個體發出的費洛蒙的協調。

在人類社會中，費洛蒙能激發性吸引及其系列反應，所以也被稱為信息素或性外激素。弗洛蒙是沒有味道的化學物質，它對人們的社會交往活動，尤其是男女兩性之間的交流起到了潤滑催化劑的作用，使人類自然的魅力本性得以釋放昇華，費洛蒙營造出兩性間自然舒緩的融洽氣氛。

神奇的唾液

唾液在中國古籍中被冠以「金津玉液」、「甘露」、「玉泉」等美稱，足見古人對它的重視。近年來，科學家經過研究探索，發現唾液在維持人的正常生活活動中，起著非常大的作用。

唾液的成分

唾液是由唾液腺分泌出來的。它們大部分被吞下，經過胃腸道吸收進入血液，只有極少一部分被濺出或者從口腔表面蒸發。一個正常的成年人每天分泌一千至一千五百毫升的唾液。剛出生的嬰兒，唾液腺還沒有發育完全，分泌的唾液相對較少；三四個月以後，唾液腺逐漸發育完全了，分泌的唾液也就相對增多。由於這時候的嬰兒還不會控制唾液的吞咽，所以口水常常會順著嘴角流淌出來。

科學家研究發現，唾液中的水分佔百分之九十九，另外的百分之一包含有：唾液澱粉酶、黏多糖、黏蛋白、球蛋白、氨基酸、激素以及鉀、鈉、鈣等。

唾液的神奇功能

唾液的作用非常多。它可以防止口腔乾燥，潤滑食物；還可以清潔口腔，沖洗殘留在口腔裡的食物殘屑。當有害物質進入口腔時，唾液可以起到沖淡和中和作用，並將它們從口腔黏膜上洗掉。唾液中的溶菌酶和硫氰離子具有殺菌作用，而黏蛋白具有中和胃酸的作用等等。

近年來，科學家發現，唾液還具有許多人們意想不到的「特異功能」。

唾液的成分與血液成分相似，唾液成分的異常，可用於疾病的診斷。比如說，唾液中含有一種免疫球蛋白，正常人的免疫球蛋白含量比較穩定，患有細菌感染性牙病的人，免疫球蛋白的含量會下降。相反，霍亂患者其含量則增加。所以，透過檢測唾液中免疫球蛋白的含量能反映疾病情況。又如，腎功能不全者，其唾液中的尿素含量會有明顯增加，成為確診尿毒症的重要標誌之一。腸道有蛔蟲寄生的人，唾液中二氧化碳的含量會升高而使酸性增加，所以化驗唾液的酸鹼度，有助於對蛔蟲病的診斷。正常人唾液中鈉鉀含量有一定的比例，而精神病患者唾液中的鈉鉀比值會升高，副交感神經過敏病人唾液中的鈉鉀比值會下降。

唾液不僅是診斷疾病的「助手」，也是監護病人藥物用量的一面「鏡子」。病人服藥後，在一定時間內採集其唾液，經過分析化驗，可以得知該藥在血液中的濃度。

細嚼三十秒

科學家發現，用牙齒把食物嚼得細細的，讓唾液與食物充分混合，有利於人體對食物更好地吸收。例如，吃胡蘿蔔時，如果只嚼幾口就吞下，一般對胡蘿蔔素的吸收很少；但要是充分咀嚼後再吞下，對胡蘿蔔素的吸收量就可增加五到九倍。

更為神奇的是，科學家從唾液中提取出了某些成分，這些成分具有抵抗致癌物質的作用。據報導，日本的一位教授曾把一些常見的致癌物質，如黃麴毒素、亞硝酸鹽經過人的唾液處理後，再作用於細菌，結果發現細菌突變現象減少。據此，他認為，進入口腔的食物如果咀嚼三十秒鐘以上，就可基本清除其中可能存在的致癌物質。因此，為了充分發揮唾液的作用，為了更好地吸收食物中的營養，吃東西時最好細嚼三十秒。

相信透過科學家們的不斷努力，看起來極為平凡的唾液將會有更多的功能被發掘出來。

唾液生長因數

美國科學家透過對小白鼠進行實驗後發現，唾液中有一種特殊的「唾液生長因數」，它能促進細胞的生長分裂，加速細胞中脫氧與蛋白質的合成，有助於機體的發育和成熟。這種「因數」具有天然的癒合作用，能顯著縮短傷口癒合時間。

世界上有美人魚嗎

十七世紀時，英國倫敦出版的一本名為《赫特生航海日記》的書中提到了美人魚：「美人魚的身材與普通人差不多。牠露出水面的上半身像一位女子，皮膚潔白，背後拖著長長的黑髮。當牠潛入水中時，人們發現牠長著一條海豚似的尾巴，上面還有著像金魚一樣的斑點。」那麼，世界上真的有美人魚嗎？科學家們對於美人魚是否存在的說法有很多。

美人魚雕像

儒艮說

十七世紀時，有人認為傳說中的美人魚就是「儒艮」（俗稱「海牛」）這種海洋哺乳動物，這種解釋在十九世紀末得到了普遍認可。儒艮通常生活在熱帶海洋或湖泊中，體長在一點五至四公尺之間，體形如一隻圓桶，皮膚呈灰白色。牠們喜歡在河口或淺灣處棲息，食物為藻類和其他水生植物。

雌性儒艮的乳腺與其他動物不一樣，不是分布在腹部，而是在胸前。所以儒艮在給幼子哺乳時，會用前肢把幼子摟在胸前，將頭部露出水面。而且，儒艮的背上還長著一些稀疏的毛髮。因此，在遠處的人們很可能產生錯覺，誤以為牠們就是美人魚。

大氣光學現象

但後來，一些科學家提出了新的觀點。大家都知道，如果把一根筷子斜插進裝有水的玻璃杯中，看上去就會覺得筷子折斷了。這是因為，如果光線傾斜地穿過密度不同的兩種介質時，其行進的方向會發生偏折。這在物理學中叫做「光的折射」。

加拿大的萊思和施洛德經過多年研究，他們認為美人魚只不過是一種大氣光學現象，世界上其實根本就沒有什麼美人魚。所謂美人魚，只不過是諸如海象、逆戟鯨等海洋動物的光學畸變像。

一九八〇年五月二日，萊恩和施洛德為了驗證畸變像的形成，對一塊在平靜的天氣裡露出湖面的石頭進行了拍照，拍攝時相機鏡頭高出湖面二點五公尺，距離被拍照的石頭一百一十公尺。結果，他們發現照片上真的出現了所謂「美人魚」的影像。

一種未知的生物

不過，也有人認為，美人魚可能是一種至今不為人類所知的生物。

英國生物學家安利斯丁·愛特博士認為：「嬰兒在出生前就生活在羊水中，一出生就會在水中游泳。因此，美人魚也有可能是一種可以在水中生存的類人猿動物。」愛特博士的這種觀點得到了一些美國科學家的贊同，也就是說，他們認為美人魚是目前未被確認的「海洋人」的一種。

究竟孰是孰非，美人魚到底是一種什麼樣的生物，人們至今還沒有公斷。

美人魚化石

據說，在南斯拉夫海岸，有科學家的確發現了完整的美人魚化石，這也許是美人魚在世界上存在過的有力證據。據考古學家奧千尼博士研究，這隻動物在約一萬二千年前因水底山泥傾瀉而被活埋。周圍的石灰石使這隻雌性動物的屍體得以保存下來，成為化石。根據化石，可以了解到美人魚高約一百公分，腰部以上極像人類。牠的頭部比較發達，眼睛沒有眼簾。除此之外，牠的牙齒非常尖利，完全可以致獵物於死地，應該是一種比較凶猛的食肉動物。

野人之謎

野人是一種未被證實存在的高等靈長類動物，牠們直立行走，比猿類高等，具有一定的智能。古人類學認為，野人可能是遠古智人進化到現代人之間缺失的一環，與現代人類有最近的親緣關係。

對野人的考察

中國曾對野人進行過多次考察。一九六二年，在半年的時間內，考察隊考察了雲南西雙版納密林，獲得了一些珍貴的類似野人的動物標本。

後來，中國又組織考察隊對神農架山區進行了十分深入的科學考察活動，其中最為重要的是對神農架野人的一系列追蹤。有關於野人的一百一十四個目擊記錄，約三百六十人看到一百三十八個野人的活動情況和幾個被打死的野人。目擊者有工程師、醫生、教師、農民、林業工人，還有生物學家王澤林、中央人民廣播電臺高級記者陳連生等。

野人是否存在

目前，學術界在野人是否存在這個問題上，有兩種相反的觀點。

一方是反對者，他們認為：至今還沒有活捉到行蹤不定、行動迅速的野人，而那些找到的腳印、骨頭、毛皮和頭髮，根本就不能將野人的真實情況反映出來。況且考察手段基本上是從生態環境入手來尋找奇異動物的足跡，所以，這些野人到底是直立古猿的後代，還是巨猿的後代，現在還很難斷定。

贊成者卻表示：這些能夠直立行走，頭部能靈活地轉動，身上長滿長毛，頭髮披在肩上的野人，臉型與現代人相似，小眼、寬嘴、白牙、沒有犬齒，腳印有四十公分長。透過多種高科技手段測定和分析，發現其毛髮寬度、皮質細胞等都不同於已知動物，應屬於高級靈長類動物。因此，科學家認為野人很可能是古代巨猿的後代。如果這個假設成立，野人就將填補從猿到人類的進化史上缺少的那一環節，這在動物學和人類學上都是一個大進步。

喜馬拉雅山的「雪人」之謎

一百多年前，俄國一些人聲稱，他們看到過一種動物，這種動物能直立行走，渾身披著白毛，行為舉止與人類有點相似，這便是人們傳說中的「雪人」。

目睹「雪人」事件

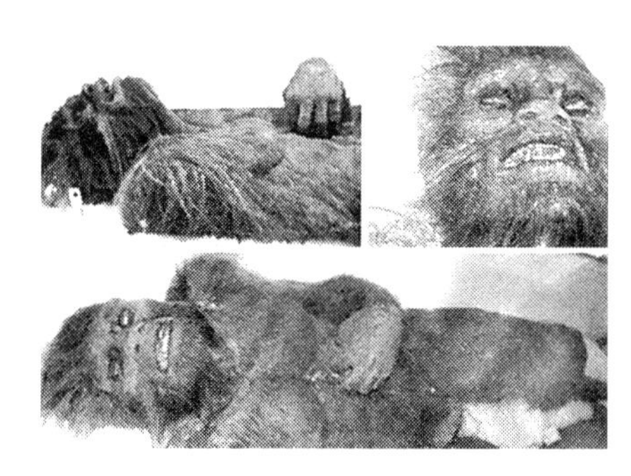
喜馬拉雅山的「雪人」尸體

長久以來，尼泊爾和中國地區的一些居民認為，在渺無人煙的喜馬拉雅山南坡的高山懸崖間和帕米爾高原上，生活著一種奇異的似人怪物——「雪人」。

一九三八年，加爾各答維多利亞紀念館的館長奧維古上尉在喜馬拉雅山旅行時，突然遭遇了強勁的暴風雪，強烈的雪光刺得他睜不開眼睛，由於沒有任何措施可以呼叫救援，奧維古只能等待死亡的降臨。可過了一會兒，他感覺自己被一個近三公尺高的「動物」掩護住了身體，由此保住了性命。後來，他的意識漸漸清晰了，可那個龐大的「動物」也神祕地消失了。他認為，這個「動物」就是傳說中的喜馬拉雅山的「雪人」。

一九八六年，意大利著名登山家梅斯納在攀登喜馬拉雅山的途中，與「雪人」不期而遇。他稱：「雪人」身高兩公尺多，頭髮濃密，胳膊長而有力，腿稍短。在月光下，梅斯納還發現，「雪人」長了一雙小而亮的眼睛，而白色的牙齒與黑黑的皮膚形成了極為強烈的反差。在隨後十二年的時間裡，梅斯納專心追蹤「雪人」。但遺憾的是，他最後認為：所謂的「雪人」只不過是喜馬拉雅山的棕熊而已。

但英國動物學家克羅寧認為世界上確實存在「雪人」，而且牠的祖先是巨猿。巨猿於七百萬年前出現，二百萬年前到一百萬年前在喜馬拉雅山地區達到空前繁榮，後來逐漸進化成現在的「雪人」。

「雪人」是否存在

對於「雪人」是否存在這個問題，許多科學家都提出了自己的看法，總的來說可分為：否定派、肯定派、既不否定也不肯定的中間派。

否定派完全否定「雪人」存在的可能性。其理由有以下三點：第一，「雪人」根本無法在冰天雪地的惡劣自然條件下生存。第二，屍體在高山嚴寒的自然環境中能長期保存下來，因此如果真的有「雪人」存在，那一定能發現牠們的屍骸。然而「雪人」的屍骸至今仍未曾發現，這說明根本不存在「雪人」。第三，由於太陽光和風力的影響，任何一種大的動物的腳印都會形成奇怪的形狀，因此雪地上的腳印不能成為「雪人」存在的例證。據此，他們認為還沒有任何確鑿的證據能支持「雪人」存在的說法。一些學者也同意這一觀點，他們不僅完全否定了「雪人」的存在，而且認為繼續探索「雪人」之謎必定會徒勞無功。

肯定派認為，現代化石證明，人類的前身是生活在樹上的古猿。人類從古猿中分化出來是在一千多萬年前。但是，在人猿分離的過程中，存在一個「缺失的環節」，因此他們認為「雪人」很可能是介於人和猿之間的過渡體，牠們比人低等一些，比猿高等一些，是科學界尚未知曉的一個高等靈長類。他們認為，喜馬拉雅山以南曾經生存過很多高級靈長類的生物，「雪人」可能是其中幸存下來的一支特殊後裔。尋找「雪人」，對生物學，特別是對動物學及動物解剖學方面有重要幫助。

中間派則根據介紹「雪人」特徵和習性的資料推測，「雪人」可能是一種熊。因為熊具有極強的活動力，活動範圍可能拓展到冰雪裡，因而被誤傳為「雪人」。珠穆朗瑪峰扎卡曲河谷海拔四千九百五十公尺的山坡上曾是棕熊覓食的範圍；而過去傳說絨布寺喇嘛看到「雪人」，和藏族翻譯開槍射擊「雪人」的地方即是在此地。由於是晚上，再加上熊能直立行走幾步，因而可能被誤認為是「雪人」。

「雪人」之謎，仍以其神祕吸引著人們對其進行探索。

神祕的「大腳怪」

幾十年來，人們一直傳說在北美的原始叢林中，生活著一種類似於野人的「大腳怪」。

「大腳怪」大多是夜間出動。牠們不僅聰明，而且極善逃避敵害。為探索捉摸不透的「大腳怪」之謎，伊凡・馬克斯憑著過人的毅力和本領，從二十世紀五十年代起，透過訪問印第安人和因紐特人的知情者，一直對「大腳怪」進行追蹤、考察。

一九五八年，伊凡・馬克斯在內華達州的華爾特山狩獵美洲獅時，發現五百公尺外的地方，有一個黑色高大的可怕類人生物。他立即用長焦鏡頭拍了下來。他說：「那東西古怪、陌生，可能很危險，所以我不想再靠近牠。」

一九七〇年，伊凡・馬克斯和一個瑞士「大腳怪」考察團在華盛頓州的科爾維爾追蹤「大腳怪」，他們還做出了這種腳印的石膏模型。華盛頓州立大學人類學家格羅弗·克蘭茨博士鑒定模型後評論說，腳印異乎尋常的彎曲、隆起和細緻，從解剖的精密度來說，是真實可信的。

同年十月分，有一個「大腳怪」在科爾維爾北邊的公路上被汽車撞倒。伊凡·馬克斯聞訊趕到現場，他看見那個被撞但傷勢不重的「大腳怪」，渾身長著黑毛，正在倉皇地逃跑，而且很快消失在叢林中。他僅僅搶拍到一個牠的背影的鏡頭。後來，伊凡·馬克斯在愛達荷州的普利斯特湖東邊加里布灣附近考察時，突然發現一個紅褐色的「大腳怪」正朝一片沼澤地跑去，牠隱隱顯露出類似人的四肢與寬闊的背部。

一九七七年四月，在加利福尼亞州夏斯塔郡的雪山附近，伊凡·馬克斯發現一個雄性「大腳怪」站在沼澤中用手舀水，並用力抖動身體驅趕成群的蚊子。牠的皮毛像水獺那樣發亮，頭上的毛髮分成前後兩半，這是一種胚胎發育的特徵。

同年十二月的一天，伊凡·馬克斯與妻子佩吉正沿著一些可能是「大腳怪」的腳印搜索前進時，忽然聽到一種樹枝斷裂的聲音。他以為遇見了熊，便從肩上將槍取下來。正在這時，一個「大腳怪」晃動著腦袋迅猛地朝他們撲來，伊凡・馬克斯出於自衛，將牠一下擊倒。「大腳怪」很快就一跛一拐地逃走了，不久就不再跛行，而是精力充沛地大步離開，伊凡・馬克斯和佩吉謹慎地跟在「大腳怪」後面。走了一段路後，「大腳怪」登上一個熔岩石脊停了下來，擺動著長臂，回過頭來威脅地看著他們。「大腳怪」額頭頂部的頂毛直直地豎著，樣子很可怕。為免遭牠報復性的攻擊，伊凡・馬克斯和佩吉急忙離開了。

經過多次跟蹤探索，伊凡・馬克斯認為，「大腳怪」很可能是類似於粗壯型南猿的一種素食性的人科。他們喜歡居住在潮濕的森林中，以溪流、湖泊和沼澤中的水生食物為食。

被野獸養大的人

「生兒育女」是自然界中各種生物為維護其自身繁殖而進行的一種普遍的生理活動。然而卻有許多動物「越軌」，不養育自己的孩子，卻哺養另一類動物的幼崽甚至是人類的幼子。

狼　孩

一九二〇年十月，人們在印度葛達莫里村附近的狼窩裡發現兩個女孩，一個約八、九歲，另一個不足兩歲。畢業於加爾各答大學的錫恩神父，將這兩個狼孩帶回了密拿坡孤兒院，並開始對這對經歷非凡的姐妹進行長期研究。神父給這兩個女孩取名為卡瑪拉和亞瑪拉。這對姐妹在很多方面表現出「狼」的特性：她們能利用四肢飛快奔跑，用舌頭舔食牛奶和水，吃生肉，嗅覺也異常靈敏，能聞到距離很遠的食物味道，視覺也很敏銳，兩人能在伸手不見五指的深夜裡，在崎嶇的山路上玩耍。

羚　　童

比較有影響的還有法國探險家亞曼發現的羚童。一九六一年，亞曼孤身到撒哈拉沙漠探險，途中他迷路了，很快乾糧都吃完了，正在他苦苦掙扎的時候，一個羚童出現了。那個羚童頭髮烏黑，散亂地披到肩上，皮膚呈健壯的古銅色。亞曼的友好行為博得了生活在那裡的瞪羚和羚童的好感，羚童和其他瞪羚一起友好地舔著亞曼的腿和手。亞曼發現羚童十分天真、開朗，看上去大約十歲。他的腳踝部粗壯有力，直立著身體到處走動，吃東西時卻四肢觸地，臉部貼在地上，牙齒十分強勁有力，能咬斷堅硬的沙漠灌木。他們漸漸成了朋友，彼此非常親近。最後男孩將亞曼帶出了沙漠，救了這位探險家的生命。

兩年以後，亞曼帶著自己的兩位朋友再次到沙漠中，尋訪他這位不同尋常的朋友。當他們見到男孩和其他的瞪羚時，彼此仍很親近。亞曼還想試一下男孩在自然界中的生存能力，決定與他「賽跑」。他的朋友用吉普車追逐瞪羚，亞曼則開著另一輛車和男孩一起跟在後面。亞曼驚奇地發現，男孩奔跑的速度竟達每小時五十二公里！男孩能像瞪羚一樣，以四公尺多遠的步伐連續跳躍。

亞曼的奇遇讓他感慨萬分。他不想讓別人知道這個男孩，因為那樣人們會將男孩關在籠子裡研究，男孩也就失去了自由，那是十分可怕的。於是他和他的兩位朋友將事實隱瞞起來，直到十幾年後才在書中公布了他的發現。

熊 孩

一九三七年，在土耳其阿達納省附近森林裡獵人們射中了一隻熊，但他們遭到另一個「動物」的襲擊。獵人們費了好大力氣才把這個「動物」制伏在地，才發現是個赤身的女孩，她全身骯髒並且像熊那樣嚎叫。後來，獵人們把這個熊孩送進了精神病院，但女孩拒絕吃一切烹煮的食物，睡覺也只在一間暗室的角落裡。人們猜測這個被熊撫養長大的女孩，正是十四年前在附近村子走失的一個小女孩，當時她只有兩歲。

動物為什麼會撫養人類的後代呢？對此，科學家們有許多不同的看法。一種解釋認為，野獸的母性本能非常強烈，特別是比較凶猛的母狼、母豹等，牠們失去了幼獸後，在母性本能的驅使下，很可能對其他幼小的動物進行餵養，因而掠奪人類的小孩也是完全有可能的。還有一種觀點是，人類的小孩被遺棄在荒野後，被狼或其他出來覓食的動物發現，便誤以為是自己的幼崽而帶回去撫養。不過，這兩種觀點都只是猜測，沒有任何事實依據。要想解開這個謎題，還需要人們進行探索。

母豹的復仇

一九二〇年的一天，印度的芝茲·卡查爾村的獵人打死了兩隻幼豹。不料母豹竟然跟隨獵人到了村子，叼走了一個兩歲多的男孩。三年後，當地人打死了母豹，並救出了小孩，不過已經快六歲的小男孩已經完全形成了豹的生活方式。

「海底人」真的存在嗎

科幻小說《大西洋底來的人》裡有一段描述：在神祕莫測的大西洋底，生活著一種奇特的人類，他們修建了金碧輝煌的海底城市，創造了輝煌的歷史，無憂無慮地和海底的生物一起生活著。忽然某天，有些海底人感到孤獨了，便好奇地浮出海面，混入陸上的人類之中。於是，一系列有趣的事情發生了……看到這裡，也許有很多人會問：大洋底下真的生活著另一種人類嗎？

近年來，在地球各大洋的水域裡都有不明潛水物出現過，或許，這為「海底人」的假想提供了某些線索。

據記載，早在一九〇二年人們就發現過不明潛水物。在非洲西岸的幾內亞海域，一艘英國貨船發現了一個巨大的浮動怪物，外形同現在的宇宙飛船十分相像，長七十公尺，直徑十公尺。當船員們試圖向牠靠近，以便看清牠是什麼樣子的時候，這個怪物卻無聲無息地沉入水中消失了。

一九五九年二月，在波蘭的格丁尼亞港發生了一件怪事。

一些執行任務的人忽然發現有一個奇怪的人站在海邊。這個人精疲力盡，一步一步地在沙灘上挪動。後來他被人們送進了格丁尼亞大學的醫院。人們發現他穿的衣服很像某種「制服」，他的臉部和頭髮好像被燒傷了。醫生對他進行檢查時，發現他的衣服很難解開，因為它似乎是用一種特殊金屬做的，而不是一般棉布、呢絨之類的布料縫製的。衣服上也沒任何開口，因此醫生費了很大的勁才把衣服切開。之後，醫生發現此人的手指和腳趾數都異於常人，他的器官和血液循環系統也極為特殊。正當人們要做深入研究時，他忽然消失得無影無蹤。

小說中的海底城市

一些科學家認為，那種不明潛水物體所顯示的非凡潛水能力，實在是地球人望塵莫及的，所以牠們有可能是外來文明。也有研究者認為不明潛水物是不被我們了解的地球文明。

吃泥土的人

在現在物質豐富的社會中，世界上有一些人卻還吃泥土，這是為什麼呢？科學家們進行了一系列的研究探索，試圖解開這個謎團。

吃泥土可以補充營養

一些窮困地區的人認為吃泥土可以補充身體中所缺的營養。例如，在非洲的一些地區，由於食物缺乏，小孩得不到充分的營養，所以一些男孩與女孩都會吃泥土。但長到十歲左右時，男孩開始吃平常的食物，而女孩的體質更容易缺鐵、缺鋅，所以她們會繼續吃泥土。鈣也是貧窮地區的人們體內奇缺的養分。非洲的醫生經常發現一些「玻璃骨」病人，他們的骨頭一碰即碎，因為他們體內缺鈣。這些缺鈣的患者有時也會吃泥土。

但是，根據醫學報告分析，吃泥土對身體是很有害的。因為泥土中所含的其他礦物質，根本不能被人體吸收。多吃泥土反而會導致智能衰退，肝、脾、腸發脹或閉塞等病。

吃泥土能治病

還有一些人吃泥土，是為了改善飲食或治療疾病。在美國加利福尼亞州，不少美洲土著人把泥土混入磨碎的橡果裡一起吃。在安第斯山脈的土著人，也愛把砂泥同苦澀的野生馬鈴薯混合著吃。

在尼日利亞東北部的伊博族裡，人們吃泥土已成為習慣。在該部落中，有專供人們食用的泥土。泥土以批發零售的方式，在市集上公開發售，銷售量還不小。還有一些人把它視為治療嘔吐及痢疾的特效藥，特別是很多孕婦為了吸取到泥土成分中含量極高的鈣質，經常大口嚼食泥土。當小孩子出生後，母親在一個月內不會吃泥，以後每隔一個月吃一次，而且每次吃泥的時間必須是該月的第一天。他們認為這樣堅持一年，便可保證孩子長大後五行不缺土，而且也會變得聰明。

用泥土做的餅

世界上有許多民族都有吃土的習俗。在海地一些地方，人們有吃泥餅的傳統，最早是因為飢餓沒有食品而吃土，後來漸漸成為一種文化傳統。他們認為人是離不開土地的，需要從泥土中獲取營養和精神。海地最好的土來自中部一個叫安什的地方，人們到那裡收集可食用的黏土，又叫「高嶺土」，加工好放進模子裡，做成圓圓的餅，在太陽下曬乾，就可以食用了。每家每戶一天要做幾十個泥餅，市場上十美分可以買五個泥餅。

頭上長角之謎

頭上長角的老人

皮膚是人體的第一防禦線，因此很容易感染疾病。人的頭上長角，就是醫學界至今也沒弄清楚原因的皮膚怪病。

人頭上長角的事，古今中外都有。如晉朝的《華陽國志》記載，四川涪陵有個婦女「頭上角，長三寸，凡三截之」。元代名醫朱丹溪也曾遇到過頭上長角的患者。明代的徐應秋在《玉芝堂談薈》裡，記載了九個頭上長角的人。最近一些年來，山西、山東、江蘇、廣東、河北等地都有發生頭上長角的怪事。

另外，有人論證，《詩經》中的「黃髮兒齒」，出土文物上的「萬年羊角」，都是指頭上長角這件事。

一八四四年，美國的威爾遜首次公布了九十例頭上長角的人。一八八九年，美國學者哈靈根統計，在十二萬三千七百八十六個美國人中，竟有四十二個長角的人。

有的人角長得很長。一位黑人婦女的角長十八公分。中國解放前東北有一男子的角長二十六公分，更有角長三十多公分的人。但由於多數是老人才長，因而長角在中國有時被認為是一種壽兆。

角不一定都長在頭上，也有長在臉上和身上的。一九一七年有報紙報導，一位二十一歲的朝鮮青年，除胸部外，全身長滿大小不一的角，總計至少有一千六百支。

醫學界認為，人體長角是一種皮膚高度角化症。但為什麼有些人的皮膚會高度角化呢？原因仍不清楚。

長刺的人

二十世紀七十年代，丹麥有個名叫尤克的二十七歲男子，野外旅行時摔倒在荊棘叢中，身上沾滿了小刺。令人驚奇的是，這些小刺拔盡後，他的身上又慢慢長出新的刺。八年來，尤克已到醫院去了一百四十七次，拔出三千九百根小刺，然而小刺仍不斷長出。身上為什麼會長刺？現在醫學界仍無法做出解釋。

人體是世界上最奇妙的「機器」，有著令人驚嘆的複雜結構。每個人都了解自己的身體，但仍然有許多神祕現象令我們困惑不解：人體真有「第三隻眼睛」嗎？為什麼人會生病……這一個個匪夷所思的問題真實而客觀地存在著。儘管近年來，人類在各個領域取得了很大的進步，然而我們不得不承認，我們還需要對更多的人體之謎進行探索。

人體增高之謎

在中國和其他許多國家，人體測量的數據都表示：人類一代比一代長得高。如果你觀察一下周圍，就不難發現，子女長大以後大多數要比他們的父母高。據統計，現在的新生嬰兒比三十至四十年前平均高出一公分。現代人類逐漸長高是什麼因素造成的呢？

居住環境改變的原因

二十世紀三十年代，德國科學家科赫對人體增高的謎題進行了研究，認為這是由於人類居住環境的改變，受日光照射時間增加的結果。但人們發現，在溫帶一些國家，甚至靠近極地的一些國家，人的身高增長速度一點也不比熱帶國家慢。因此，科赫的說法是站不住腳的。

人類營養增加的原因

不少科學家認為，人越長越高是由於孕婦和兒童的營養越來越好的結果。但是有關調查結果表示，最近幾十年來，歐洲許多國家居民的營養並沒有明顯增加，但他們的身高增長速度卻一直在繼續。所以，「人類營養增加」的論點也不能讓人信服。

氣候變化的原因

到了二十世紀四十年代，美國學者米爾斯透過動物實驗，又得出一個新結論，他認為人越長越高是由於氣候變化引起的。他解釋說，氣候變冷，空氣的溫度降低，使人的生長速度加快。但在五十年代以後，全球氣候變暖，而人類身高增加的速度卻一點也沒有減慢，這又怎麼解釋呢？

輻射的影響

也有學者推測，由於科學技術的發展，無線電、電視、X光和微波等電磁輻射的增加，以及核輻射和來自宇宙空間的各種輻射，促進了人體的生長發育，人也就越長越高了。但至今仍沒有這方面的可靠證據。一些持不同意見的科學家指出，人類身體增高的趨勢早在幾十年前就出現了，那時候還沒有什麼電磁輻射、核輻射，這又怎麼解釋呢？而且也沒有任何證據說明，人體生長速度加快跟宇宙射線的輻射有關連。

異族通婚的緣故

俄羅斯科學家布諾克，從遺傳學角度提出了一個新奇的觀點。他認為，人越長越高是由於「異族通婚」不斷增加的緣故。不同民族、不同地區的人之間通婚，生下的孩子會比他們的父母高大，混血兒就是一個明顯的例子。

另外，科學家們還發現了一個不易察覺的事實：人們改變居住地點會影響人體的生長發育。據日本科學家考察，搬遷到夏威夷群島居住的日本人，比他們過去的同鄉平均增高十公分。這又是什麼原因呢？這些不同的說法，到底孰是孰非，科學家們還在爭論、研究之中。人類為什麼越長越高？人類的身高有沒有極限？至今還是一個謎。

性格形成之謎

在現實生活中，每個人的性格特徵都各不相同。有的人對生活充滿熱情，有的人則得過且過；有的人堅強、勇敢、果斷，有的人則猶豫不決、拖泥帶水；有的人自信心強，敢於攀登、創造，有的人則無主見、不自信，在困難面前自暴自棄。為什麼會出現如此多的不同性格？科學家們正試圖解開人類的性格之謎。

部分研究者認為，人的性格的基點基本都是一樣的，主要是後天社會環境的影響差異很大，才導致人的性格表現不同。確實有一些事件證明，後天環境能夠塑造人的性格。一位著名的心理學專家曾說過：「給我一些健全的兒童，我或者使他們成為醫生、律師，或者使他們成為乞丐、盜賊。」

研究發現，如果人在嬰兒期沒有感受到母愛，將很難產生自信和信任感；經常挨父母打罵的孩子容易養成撒謊、不夠獨立、唯唯諾諾的性格，有的甚至會產生反抗行為；而幼時被嬌生慣養、放縱、溺愛，長大後可能養成驕橫任性、自私懶惰、意志薄弱的性格。還有的研究者認為，人的性格特徵與遺傳基因有關。

更多的科學家認為遺傳和環境這兩種因素的作用都不是孤立的，二者在影響人的性格方面，應是相互制約又相互聯繫的。心理遺傳學是遺傳學中進展最慢的學科，因此，揭開性格形成的奧祕還有大量的工作要做。

腦部 D4DR 基因

一九九六年，美國《自然遺傳學》雜誌刊登了以色列和美國科學家的發現，稱兩國科學家找出了影響一個人追求新鮮事物的基因。研究發現，腦部 D4DR 基因較長的人，在追求新鮮事物方面天賦較好，他們較易興奮、善變，性格急躁、衝動，喜歡探險，也比較奢侈。而腦部 D4DR 基因較短的人，比較喜歡思考，性格拘謹、溫和、忠實，恬淡寡欲和節儉。

人腦之謎

人腦最首要的未解之謎就是它的工作機理和微觀機制。目前人們對這類問題的認識仍然很少。例如，人腦是如何處理信息的？是序列式還是並列式處理？人腦中信息的表象是什麼？

其次是關於腦功能和結構異常引起的疾病問題，其中最常見的就是精神分裂症。大約有百分之一的人有可能患有這種疾病，這個比例意味著在中國將有上千萬的患者。目前，人們對它的病因仍不是很清楚。另一種由腦功能和結構異常引起的疾病是癲癇。大約有百分之零點五的人可能會患癲癇病，然而目前病因也不是很清楚。

再有一種就是老年癡呆症。在病人的腦中可以看到一種特殊蛋白質的沉積，但是它是如何產生的，在發病過程中所起的作用如何，都還是一個謎。

最重要的一個問題就是人類對自己大腦的認識。在近代的科學上，生理學家一致認為：大腦皮層是智力和意識活動的中樞，並認為大腦的發達程度和智力的高低與大腦的大小有密切的關係。為了弄清這個問題，醫學家們甚至解剖過許多傑出人物的大腦。透過無數的實驗得出結論：正常成年男子的腦重為一點四二公斤左右，女子的腦重比男子的輕百分之十左右。如果男子腦重輕於一公斤，女子輕於零點九公斤，智力就會受到影響。

但是，隨著科學的發展，往往可以得出一些與定論相悖的結論。例如，英國神經科專家約翰・洛伯教授就指出：人類的智力可能與大腦完全無關，一個完全沒有腦子的人一樣可以有極好的智力。他提出的理論根據是：英國的謝菲爾德大學數學系有一個學生，每次考試成績都名列前茅，可是在對他的腦部進行探測時卻發現，他的大腦皮層的厚度僅有不到一公釐，而正常人是四十五公釐。另外，教授還發現一位醫院女工作人員，根本就沒有大腦這一器官，而她的智商卻高達一百二十。

如果說大腦皮層是智力和意識的活動中樞，那麼我們如何解釋「沒有腦子的高材生」的現象？他們超越常人的智力又是怎麼回事呢？科學是在辯論中不斷更新和發展的。關於人腦的問題，究竟哪一種結論是正確的，還需要科學家們用實踐來證明。

人體的「第三隻眼睛」

我們從神話傳說中了解到許多神仙都有三隻眼睛，但神話畢竟是神話，神話與現實不同。可是，也許你想不到，我們每個普通人都長著三隻眼睛！

發現的過程

希臘古生物學家奧爾維茨，在研究穿山甲的頭骨時，發現在牠兩個眼孔的上方有一個小孔，這個小孔與兩個眼孔成「品」字形排列。這引起他極大興趣。經反覆研究，這個小孔被證實是退化的眼眶。

奧爾維茨的這一發現，轟動了整個生物界。此後，各國的生物學家紛紛加入研究行列。各項研究結果表示，魚類、兩棲類、爬行類、鳥類、哺乳類動物，包括人類，都有三隻眼睛。科學家發現人類的第三隻眼睛已離開原來的位置，不在臉部表面，而是深深地埋藏在大腦的丘腦上部，而且擁有一個特別的名字——松果腺體。

松果腺體

人的第三隻眼睛已經變成一個極為獨特的、專門的腺體，人體中除了松果腺體以外，再也沒有其他腺體具有星形細胞。星形細胞不是普通的細胞，它在大腦半球中的含量十分豐富。至於腺體和神經細胞究竟為什麼會盤根錯節地纏繞在一起，目前科學家們還不是很清楚。

現在，人類的第三隻眼睛和另兩隻眼睛相比雖然功能迥異，但還是有點「藕斷絲連」的關係：松果腺體對太陽光具有極強的敏感性，它透過神經纖維與眼睛相聯繫。松果腺體在太陽光十分強烈時受陽光抑制，分泌松果激素較少；反之，在陰雨連綿的天氣，松果腺體就會分泌出較多的松果激素。

此外，科學家發現在第三眼的組織結構中含有鈣、鎂、磷、鐵等晶體顆粒，他們把這種顆粒稱之為「腦砂」。剛出生的嬰兒根本沒有這種奇怪的稱之為「腦砂」的東西，在十五歲以內的孩子中也極為少見，但是十五歲以後，「腦砂」的數量就開始逐年增加。在第三眼中有那麼一小堆「沙子」，竟絲毫不會影響它本身的功能。看來，科學家的研究還有待深入。

人的本體感受

二千多年前，亞里士多德總結出人類有五種主要感覺：視覺、聽覺、味覺、觸覺和嗅覺。不過，人們還有一種感覺，它被稱之為「本體感受」，字面意思是「對自己的感覺」。

本體感受由神經系統產生，目的是保持方位感，並控制身體不同部位的運動。有了本體感受，我們才能知道自己在哪裡，知道自己的手臂、腿和身體其他部位的相對位置。

特殊的本體感受器遍佈在身體各處，與前庭系統（在內耳中由液體構成的網絡，能察覺頭部位置、保持身體平衡）協同工作。例如，從本體感受器發出的反饋信號，使大腦計算出需要運動的角度，然後精確地命令肢體移動相應的距離。

多數人都不知道我們有這種「感覺」，但它對人體的運動至關重要。如果沒有本體感受，我們就無法行走、托舉、伸展肢體或舞蹈等。儘管大腦最重視從眼睛反饋來的信息，但視覺信號的處理速度遠遠低於本體感受信號。

我們有時候失去嗅覺或味覺，但很少失去本體感受。如果失去它，將產生嚴重後果。全世界至今只發現十個人失去本體感受，不能無意識地協調動作，英國南安普敦的伊恩·沃特曼就是其中一例。一九七一年五月，他割傷了手指並引起感染，很快手臂紅腫，他感到忽冷忽熱，全身無力。後來，他被送往醫院。當時他不能正常行動，手腳能感知溫度和疼痛，卻察覺不到觸感和壓力。

病毒感染損壞了他控制本體感受和觸覺的神經，使他從脖子以下失去所有的觸覺。雖然控制肌肉運動的神經還完好無損，但是大腦命令肌肉運動的時候接收不到反饋信號，所以他不知道動作是否執行完畢，只能靠眼睛判斷四肢的位置。因此他可以做出動作，卻沒辦法控制它們。他癱瘓了，而更糟糕的是，醫生不知道病因。

對我們而言很簡單的基本動作，沃特曼卻需要花費很多心思能完成，所以他把每天的努力比作跑馬拉松。他必須訓練自己看出物體的重量和長度。當他試圖舉起一件東西的時候，感覺不出有多重，只有憑眼睛來判斷應該用多大力氣。他花了整整一年時間學習站立，並以此為基礎學會了行走，成為這種罕見疾病的患者中第一個能夠走路的人。

儘管伊恩・沃特曼一直沒有恢復本體感受，但他經過幾年的練習之後出院，開始了新的生活。他利用視覺訓練出了準確估計身體運動速度和方向的獨特能力，不僅能走路，還會照顧自己，甚至開車。最後他找到工作並成了家。他成功地克服了看似不可踰越的障礙，除非發生意外狀況使他失去平衡，否則見過他的人只是覺得他的動作有一點機械，很少有人懷疑他身體有毛病。

伊恩・沃特曼的例子讓科學家對本體感受有了更多的了解。沃特曼舉起物體的時候，對重量的估計相當精確，這使科學家們感到驚訝。一般認為，人們要依靠肌腱和肌肉拉伸程度的反饋信號，才能判斷出物體的重量和長度。而沃特曼沒有這些反饋信號，拿起東西的時候，只能用眼睛觀察身體對運動的反應。如果肢體動得越快、越高，則說明物體越輕。

患皮膚癌的原因

有時，皮膚癌是由嚴重的外傷引起的。但在大多數病例中，導致皮膚癌的是天空中巨大的輻射源——太陽。

陽光中有部分光線是肉眼看不見的，紫外線就是其中一種。紫外線的能量很高，它能穿透皮膚，殺死真皮層的細胞。從前，人們被曬傷主要是因為在露天的環境裡光著膀子。但自從十九世紀三十年代以來，曬傷的原因又多了一個：故意曬黑。那時候，無論是學生還是工人，都以曬黑為時尚。

其實，皮膚被曬後變黑是一種自我保護的方式。當紫外線照射皮膚時，皮膚表面的死細胞首先吸收了部分紫外線。然後，活細胞開始產生大量的黑色素來吸收剩餘的紫外線。然而，即使是最黝黑的皮膚，也只能遮擋一部分的紫外線。在太陽底下曬得越長，進入皮膚的紫外線就越多，損傷的細胞也就越多。

最常見的皮膚癌是基細胞癌。基細胞是皮膚最底層的細胞。在美國，每年約有四十萬人患上這種癌症。曾經，基細胞癌多發於老年人群中。但近些年來，這種疾病越來越引起醫生的關注，因為越來越多的年輕人甚至少年患上基細胞癌。幸運的是，只要將癌變區域切除，這種癌症就可以被治癒。

皮膚癌中最嚴重的一種叫做黑素瘤，這種腫瘤分布於皮膚表面，如果不及時治療，它很快便會從皮膚蔓延至器官（比如肺）和大腦，甚至導致死亡。

幸運的是，我們完全可以防止皮膚癌的發生。在必要的時候，出門帶上遮陽傘；在戶外游泳時，儘量選擇連衣泳褲裝，而不是比基尼；養成擦防曬霜和戴帽子的習慣等。總而言之，要避免長時間的曬太陽。

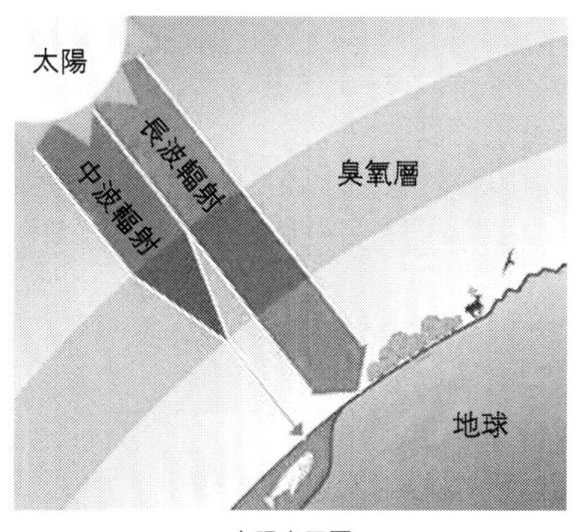

太陽光照圖

人腳的奧祕

站 立 的 腳

人腳的站立能力會隨年齡增長而變化。二十歲左右的青年站立能力最強，超過五十歲就會有所減弱。但是，人的壽命假如超過八十歲，站立能力反而會比前些年提高些。

研究者發現，千萬年前的古人腳踝狹窄，五個腳趾分開，人體重心落在腳底的前半部，這對追捕野獸比較有利。可現代人的腳踝呈圓形，腳底比較寬闊，五個腳趾併攏，人體重心位置已移到腳底的後半部分，靈活性就不如古人。如此繼續下去，人的站立能力將逐漸減弱。

左腳與右腳

左腳接觸地面的面積比右腳大，而且男女都一樣。由此可見，左腳主要是起支撐全身重量的作用，而右腳則是做各種動作的。人老以後，左腳的作用衰退，所以不易站穩。體育運動員、舞蹈演員、戲劇演員在運動或表演時，也常用左腳來支撐身體，用右腳來表演動作。

大多數人以左腳為主軸決定前進方向。要是你閉起眼睛，沿著正前方的一條直線走去，那走不了不遠，你就可能向左偏移了。這種「左傾現象」，正是造成夜晚迷路者兜圈子的原因。

過去人們往往認為，夜晚走路兜圈子是遇到了「鬼」。而挪威生物學家伽爾德·柏克教授歷時三十多年，透過對歐、美、亞洲許多國家的調查研究，最後寫出了一篇著名的論文──《動物的行動是以兜圈子為基礎的》。他認為，在通常情況下，人走路時會保持直線的方向，但這主要是頭腦和眼睛的功勞。如果僅就雙腿來說，因為一般人的右側腿腳肌肉總是較左側發達，右腳跨步大於左腳，所以不知不覺地就向左轉了。這樣，人在黑夜看不到目標時，就可能兜起圈子來。

最有意思的是，賽跑運動員都是向左轉圈的。因為一九一三年國際田徑聯盟成立之際，就把跑的方向規定為向左轉。有人對此解釋說，心臟位於左側，所以重心容易偏左。因重心偏左，就用右腳登地面來增加速度，所以左轉圈容易跑。

有趣的現象

一位日本教授對人的腳進行了長達三十七年的研究，觀察的人數近四十萬，他發現了許多關於人腳的有趣現象。例如，七個腳的長度大約等於自身的身高。而且，腳是有「伸縮性」的。人在中午時腳最大，午睡一會兒，腳會縮小一點點。腳在一天中的變化差別有時會達到百分之五。兒童的腳幾乎天天在長，每月平均要長一公釐，大約到二十五歲才定型。

如果抓一下剛出生嬰兒的腳底，往往右腳底有反應，而左腳底「無動於衷」。這說明左、右腳的機能是有差別的。這種反應差別約在出生半個月後才會消失。

赤腳蹈火舞之謎

神祕的蹈火舞

面對一堆燃燒著的灼熱火炭，你敢赤腳在上面走嗎？肯定大多數人都不敢吧！但是，許多地方竟然有赤著腳在火上跳舞的習俗，這種舞蹈被稱為「蹈火舞」。

蹈火舞有著悠久的歷史，最早是紀念太陽和光明之神阿波羅的一種宗教儀式，盛行於古代波斯。後來，蹈火舞逐漸流傳至世界上的其他一些國家和地區。直至今日，在伊朗、歐洲巴爾干半島、太平洋斐濟群島、南美洲蘇里南以及非洲的一些部落仍然相當流行。例如，保加利亞一些部落裡的人們，在每年歡慶神聖的聖康斯坦丁和埃列娜節的時候，都要跳蹈火舞；日本每年有個名叫「火渡祭」的宗教節日，也就是蹈火節，人們會在祭奠儀式結束後赤足走過炙熱柴堆的餘燼。

對蹈火舞的探究

科學家們對蹈火舞十分好奇，他們無法解釋為什麼赤腳接觸好幾百度的炭火而不被灼傷。為了弄清楚原因，許多科學家都進行了一系列的探索。

一九七四年，德國科學家卡格爾在斐濟島給二十名蹈火者拍攝了彩色電影。根據影片分析，蹈火者在火山熔岩上雙腳走動的時間為四秒，單腳站立的時間為七秒。表演一結束，卡格爾就從蹈火者的腳掌上剝下一小塊繭皮放在熔岩上，繭皮立刻變焦。測量證明，熔岩的溫度為三百一十六℃。

一般人的確無法走過火炭。一九八四年，巴基斯坦的西狄鎮發生了失竊案，有十四個人被指控為懷疑對象。居民們將他們一一捉了起來，強令他們赤足走過火炭。因為按巴基斯坦迷信的說法，小偷若走過火炭便會被燒傷，清白者則會安然無恙。但結果，十四名嫌疑犯全部被燒傷，其中五人傷勢嚴重，然而依舊不知道竊賊是誰。

原因之謎

一些學者認為，跳蹈火舞的人具有特殊的技巧，經過長時間的鍛煉後，他們的腳底生出一層厚厚的老繭。這樣雖是赤腳，但厚繭皮卻好像是一雙薄底皮鞋一樣，能保護著腳掌使它不致灼傷。

還有一些學者認為，人能耐受外界環境多高的溫度，取決於人體排泄汗液的蒸發速度。蹈火者首先圍著篝火縱情跳舞，然後走上火炭，蹈火者在跳舞時已滿身大汗，再加上炭火的烘烤，雙腳底排出的汗水滴在熾熱的火炭上，形成蒸汽層。這個蒸汽層厚度可達一公釐，水蒸氣是熱的不良導體，可以對腳起到瞬間的隔熱和保護作用。蹈火者快速地交換著用腳與炭火作短暫的接觸，在每個舞步之間，腳板不斷排出汗液，不斷形成蒸汽層，不斷被降溫散熱。這也許就是腳不致被灼傷的奧祕所在。

人為什麼會口渴

炎炎的夏日，人們大汗淋灕地運動一番後，總會覺得口渴，只有痛痛快快地喝一口涼水後，才能重新恢復運動狀態，繼續投入到運動中去。那麼，人為什麼會感到口渴呢？你可能會說，因為我們在運動中出汗太多了，所以需要靠喝水來補充身體流失的水分。

確實是這樣，水對人體相當重要。首先，水是人體的「忠誠衛士」。比如，可以透過眼淚沖刷出飛進眼睛裡的塵沙。其次，水是人體不可或缺的「化學兵」，它能夠對各種營養物質進行水解作用，以方便人體的消化和吸收。其次，水是人體重要的「運輸兵」，是它將各種營養物質運送到人體各內臟器官和組織，又將新陳代謝的廢物運送到排泄器官處，以排出體外。另外，水還是人體體溫的「調節者」，它將人體每晝夜產生的一萬至一萬一千大卡的熱量運送到體表，人體再透過呼吸、出汗、排泄等方式，將熱量散發出去，這樣人體的溫度就可以一直保持在三十七℃左右。由此看來，人體一刻也離不開水，一旦失水就需要馬上補足，只有這樣才能更好地維持人體各器官的正常運轉。

現在，我們已經充分認識到了水對人體的重要性。但是，人體是透過什麼方式覺察到缺水這一情況的呢？科學家們透過研究發現：我們在大量失水的時候，血量就會減少，而血量的減少，會促使腎臟分泌出一種叫做「血管緊張素」的化學物質。這一化學物質隨著血液流入人腦內，被腦內某一感受器所捕獲，於是就發出了「渴」的信號，提醒人們該補充水分了。但是，也有科學家提出，能夠接收到「血管緊張素」的感受器並不都存在於大腦之中，人體的其他器官也參與了渴感的產生。

一個看起來毫不起眼的口渴現象，在身體內到底經歷了怎樣複雜的過程，我們還不能具體地了解。但是毫無疑問，如果沒有口渴現象的出現，我們可能會錯過及時補充水分的時機，從而影響到身體的正常運轉。所以人不知道口渴，並不是一個好現象，我們應該感謝自己具有這樣的能力。

人體內的正常細菌

人的一生無時無刻不在與細菌打交道。細菌不僅存在於自然環境中，甚至還「寄居」在我們體內。

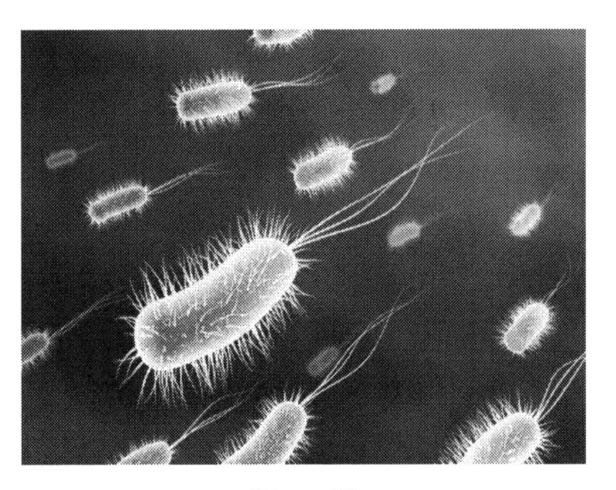

細　菌

人們將那些一般情況下不會引發疾病的細菌稱做「正常細菌群」，但也有一些科學家認為，正常菌群與致病菌性質是相同的。它們看似「正常」，可實際上卻在慢慢地侵蝕著人體。例如，百分之五十的人都有蛀牙問題，而蛀牙問題就是由那些寄居在口腔中的細菌引起的。它們躲在牙縫中繁殖，慢慢地形成黃褐色的牙菌斑，牢牢地附著在牙齒表面；它們發酵分解產生了酸，這種酸腐蝕著琺瑯質，並產生蛋白溶解酶，破壞牙齒有機質。人們潔白的牙齒就這樣在它們的破壞下變成了蛀牙。人體皮膚每天都在與數不清的暫居菌接觸，它們在皮脂分泌旺盛的皮膚上留下令人煩惱的痤瘡。人體膽汁中的某些成分經過腸內厭氧細菌的作用，就會產生致癌物質。因此，一些科學家認為，人體正常菌群是人類健康的潛在威脅。

另外一些科學家則認為正常菌群對人體是利大於弊的。例如，腸道菌群經常會污染皮膚表面，而正常菌群能抑制這些致病菌的生長，使皮膚較少受到感染。更為重要的是，正常菌群能刺激機體的免疫系統，提高機體免疫力。

還有一些科學家認為正常菌群與人體之間保持著平衡關係。如果這種平衡被破壞，無害的正常菌群就可能轉變為有害的致病菌。所以，正常菌群也被人們稱為「條件致病菌」。可人體各部位存在著數十億的細菌，它們是怎樣與人體保持著親密的平衡關係，還需要科學家們做進一步的研究。

為什麼我們會暈車或暈船

去郊遊的路上，公交車裡又熱又擠。汽車在蜿蜒的公路上向山上行駛，每次汽車加速或剎車，你的胃也隨著晃來晃去。更奇怪的是，只要視線落在車裡，馬上就會泛起一陣噁心的感覺。這就是暈車的現象。暈車並不是什麼奇怪的病，暈車的人也不在少數。剛進入太空的太空人也吃過這種苦頭。無論是暈車還是暈船，都表現出相同的症狀，這種病叫做「暈動病」。

我們走路的時候都不會暈，可是為什麼在同樣的馬路上，坐在汽車裡就會暈呢？

原因在於我們在視覺與感覺之間出現了分歧。在運動的環境中，比如在汽車中，你可以感覺到自己的身體隨著汽車前後晃動。感知運動的器官在耳朵裡，這是由於內耳裡的液體隨著汽車晃動而運動時，它便將運動的信息傳給大腦，這是正確的信息。但在你的眼睛看來，人還是原來的人，大家都在原來的位置上，一切都沒有變化。所以，你的眼睛則告訴大腦你沒有運動。大腦同時接到兩條內容完全相反信息。這下它就迷惑了，要相信哪個呢？耳朵還是眼睛？

這時，身體裡開始產生大量促使緊張的激素，如腎上腺素，大腦因此也進入到緊張狀態，促使汗液分泌。胃部的肌肉也因此獲得更多的生物電信號，更加有力而且頻繁地蠕動。接下來就會出現嘔吐。

平常我們習慣在地面上行走，而不習慣比較陌生的運動刺激，如乘車、乘船、乘飛機時的顛簸和搖擺。有的健康人在接受上述不同方向、不同速度的運動刺激後，會出現頭暈、面色蒼白、噁心嘔吐等暈車、暈船、暈機的現象。

這是一種很正常的生理性反應，只要人們脫離刺激環境後，症狀便自然消失。

暈動病的症狀常為逐漸發展的，從胃部不適到噁心、出冷汗，最後到嘔吐。據一些專家介紹，暈車、暈船是非常普遍的現象，有器質性的原因，也有功能上和心理上的原因，兒童中男孩發生率要高於女孩，成年人則是女性比較多見。

防止暈車的方法

暈車的人在車行駛的途中，眼睛儘量往車外看，這樣眼睛和耳朵就會同時得知身體在移動的信息。不要在車上看書或把注意力放在車內。上車後，最好在車的前排就座，因為坐在前排既能看到前方的馬路，也能看到兩旁的馬路。類似地，如果在海上航行，待在甲板上會比待在船艙裡舒服些。幾天後暈船的症狀就會消失。因為大腦發現，你的身體確實在運動。太空人們適應宇宙飛船環境的過程也是這樣的。

神奇的人體冷凍復活實驗

生命最終將走向死亡，這是自然界的規律，人類當然也無法倖免。大多數人能夠豁達地面對死亡，而有些人想到死亡會很懼怕。如果人死後還能夠復活該多好，這是千百年來無數人的夢想。而今，隨著科學的飛速發展，使得死而復生這一願望，有了成為現實的可能。

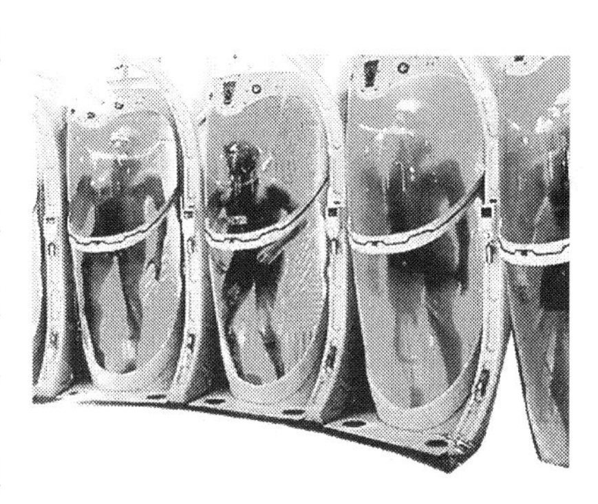
人體冷凍復活實驗

許多人的死亡是由醫療技術落後造成的。比如，以前許多無藥可治的疾病，現在看來就像是感冒、發熱一樣容易治療。同理，現在還無法治療的癌症，或許能在未來找到解決的辦法。所以，人們就想，能不能把患有癌症的病人先冷凍起來，等到醫療水平發展到足以治癒他的疾病的時候，再對他進行解凍復活治療呢？這就是

「人體冷凍復活」的觀點。這種方法真的能行嗎？

早在一七七三年，美國科學家班傑明‧富蘭克林就考慮過用冷藏的辦法把人體冷凍到某個時間再解凍，使人體再度復活。一九六四年，一門專門研究在人體組織腐爛之前將其冷凍起來的學科——人體冷凍學誕生了。世界上有許多科學家開始為實現富蘭克林的願望而不懈努力。目前，美國已經建立世界上最大的人體冷凍處理機構以及儲存中心，已經有上百人接受了冷凍處理。

現今，科學家還不能確保每一副冷凍的身體都能夠成功復活。決定被凍「死」的人能否復活的一個關鍵因素就是如何速凍大腦。如果大腦的溫度能夠迅速降低下來，那麼，大腦就會在心臟停止跳動前停止運轉，而且不會因為寒冷的侵襲而受到損傷。在這種情況下，只要身體能夠恢復到正常的水平，大腦就有甦醒過來的可能。另外有一個重要因素就是被冷凍人的身體情況。科學家們發現，即使兩個人冷凍的情況完全一樣，也不一定同時都會復活。為什麼會出現這種情況，科學家們目前還無法解釋。

人腦記憶之謎

人類的記憶是否可以被移植？如果人類科學真的使記憶移植成為現實，那麼人類的學習過程將發生巨大的變化！十年的寒窗苦讀可能會縮短到十分鐘。這樣的「學習」真是太不可思議了。然而直到今天，科學家對學習和記憶的產生原理，仍在研究探索之中。學習和記憶所涉及的神經系統，是目前最難攻克的研究課題之一。

早在古代，人們就對記憶現象產生了種種困惑。古希臘哲學家柏拉圖稱記憶為「火在蠟上燒成的景象」，但是人腦中究竟是什麼物質起著蠟的作用？外界的景象又是透過何種方式被記進人腦的呢？這些一直是個謎。

科學家經過臨床觀察和艱苦研究，終於在一九〇〇年發現大腦皮層中有一個外形酷似海馬的結構，它與學習記憶有著極為重要的關係，科學家們將它稱為「海馬體」。他們對海馬體被損傷的病人進行測試，發現病人無法回想起剛剛看到過的事物，海馬體受傷程度越大，這種缺陷就越嚴重。後來科學家又發現支配記憶力的不是海馬體，而是大腦的顳葉。海馬體只是加工記憶的重要場所，而不是儲存的地方。海馬體根據重要性來篩選信息，調度信息。只有海馬體確認必須要記憶的信息才會被送到顳葉，其他的則會被自動刪除。

近年來，科學家們從分子生物學的角度，深入探討了大腦的記憶功能。研究結果表示，大腦的記憶基礎很有可能是一種化學反應。科學家曾對動物腦中的化學記憶物質進行研究，成功地分離出一種由多種氨基酸組成的多肽分子。科學家認為，這些分子以不同的排列次序和很快的組合速度，在腦子裡形成更多的蛋白多肽，組成變化無窮的順序結構，這也許正是人腦記憶的基礎。

另外一些實驗證明還有許多化學物質與記憶有關，這些化學物質包括血清素、乙酰膽鹼、神經細胞內的環磷酸腺苷等，它們都被證明是記憶的物質基礎。

這些化學物質與記憶之間的關係以及它們的濃度、何時分泌、怎樣在神經細胞中傳遞等問題，還有待於進一步研究。

人為什麼會生病

我們都有過生病的經歷，這些經歷並不值得回味，有時候我們甚至會覺得這些經歷簡直是不堪回首。想想吧，生病的時候，你連自己都照顧不了，學校當然是不能去了，還有可能連累爸媽請假在家陪伴你。身體不舒服，因此不得不去吃一些味道並不怎麼好的藥，嚴重的話還有可能會打針、住院。所以，一般情況下，是沒有人會願意生病的。但是討厭的疾病並不會因為你的厭煩而知趣地迴避，它總會在你不經意的時候突然來臨。許多人都會默默地祈禱，希望疾病永遠不來侵擾自己，但是這種願望會不會實現呢？人可不可以不生病呢？

人體就像一臺機器一樣，機器在運行過程中總有零件會出現磨損，人體也一樣，所以生病是不可避免的。具體說來，人體生病的原因有以下幾點：

第一，飲食結構不合理。如今我們的生活條件一天比一天好，主食大多是精米、精麵，菜多是含有大量殘留生長激素的雞、魚、肉、蛋等。這樣的食物很容易吃出「富貴病」來，比如高血壓、脂肪肝等。而且，貪吃的小朋友大多喜歡吃零食、果凍、冰淇淋等含有添加劑、色素的食品，這些東西吃多了會影響到身體的健康。

第二，現代社會的環境污染愈演愈烈，水源的污染、空氣的污染、農藥化肥的污染，無時無刻不在威脅著我們的身體健康，這都是防不勝防的。

第三，生活中遇到一些令人精神緊張或者是不順心的事情，也會使我們生病。例如，在我們情緒產生劇烈變化的時候，體內會分泌出一種叫做類固醇的荷爾蒙，這種物質能使人體的免疫力下降。

除了以上這些原因之外，還有濫用藥物、微量元素補充不合理等原因也都會讓人生病。

雖然我們不可能避免疾病的發生，但是只要透過我們自身的努力，儘量少生病甚至不生病，還是能夠做到的。要實現這一點，除了要注意自己的飲食衛生之外，最重要的就是增加自身的免疫力。醫生們研究發現，人體百分之九十九的疾病都與免疫系統有關。也就是說，只要我們的免疫系統狀況良好、工作正常的話，我們就不容易得病。

人類為什麼會得癌症

癌症這個詞現在頻繁出現在人們的嘴邊，可謂談癌色變。它奪去了無數人的生命，已經成為威脅人類健康最可怕的「殺手」之一。癌症如此可怕，不禁令我們疑惑：人類為什麼會得癌症呢？

致癌物質

科學家們首先把注意力放在了尋找致癌物質上。他們研究了患癌的動物，透過研究發現，誘發癌症的主要因素有：一定的化學物質和物理、環境方面的因素。

那麼日常生活中，有哪些物質會致癌呢？經過統計發現，致癌物質有煤油、潤滑油、香菸中的尼古丁等。

遺傳因素

還有一些科學家提出，癌症與遺傳因素有關。一部分醫學工作者研究發現，有一種癌症屬於「遺傳性癌」，它是直接由遺傳決定的。進一步研究之後，醫學專家們又發現，那些屬於非遺傳型的癌症，竟也呈現出明顯的遺傳傾向。比如，胃癌患者的子女得胃癌症的機率比一般人高出四倍。總之，遺傳上的缺陷很有可能促發癌症。但遺傳因素是怎樣促發癌症的，這仍然令醫學家們感到費解。

環境因素

近年來，有一些醫學專家提出，絕大多數癌症與環境因素有關。例如，土壤中鎂含量低的地區，胃癌的發病率就相對較高。可見，環境因素對癌症的發生有著不可忽視的影響。

致癌的內在原因

科學家們在致癌的內在原因的探尋過程中發現，癌組織是由正常組織細胞病變而來。具體來說，就是人的肌體內都存在著克服致癌的抑癌因素，在這種抑癌因素的作用下，細胞才會健康發展。如果抑癌因素的作用減少或消失，正常細胞就會發生基因突變，導致代謝功能紊亂，細胞也因此會無限地分裂、增生。

一般來說，正常細胞演變成癌細胞，再引發癌症是一個相當漫長的歷程，大約需要十多年的時間。同時，科學家們又發現人體基因存在著癌基因，這是造成正常細胞癌變的關鍵。

一部分醫學專家在不斷研究細胞癌變的過程中發現，癌細胞中的氧含量很低，而蛋白質含量卻很高，而且癌細胞的表層組織越深入，其裂變能力越差，直至壞死。因此，細胞缺氧可能也是誘發癌症的因素之一。當局部組織受到損壞，並進入窒息狀態時，會改變其生存方式，癌細胞也由此生成。

面對癌症這個瘋狂病魔的肆虐，醫學家們在大多數情況下仍然是束手無策。隨著科學的進步，相信終有一天，人類會徹底弄清楚癌症的病因，徹底降服這個惡魔。

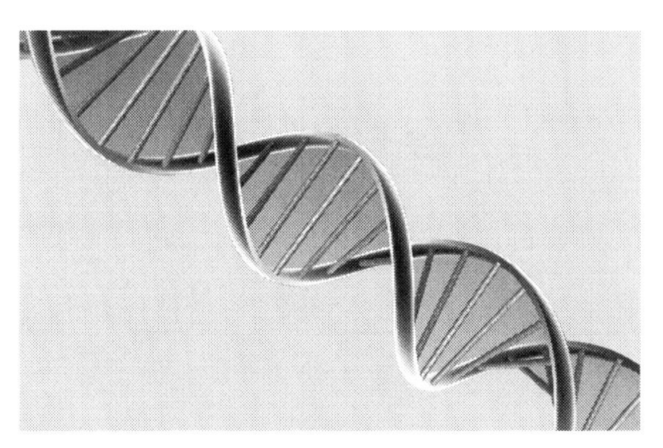

生物遺傳基因

愛滋病傳播之謎

自從一九七八年在美國紐約發現第一例愛滋病人以後，截止一九九九年二一月二十六日，世界衛生組織根據各國官方提供的統計數字表示，全世界已有一百六十三個國家和地區報告發現了愛滋病人。據世界衛生組織的專家們估計，全世界愛滋病實際患者已達三千四百萬，死於愛滋病的人類達到一千六百萬。

對於愛滋病的病因，科學家們一直有一個不解之謎，愛滋病病毒最初是怎樣傳染給人類的？許多科學家都提出了自己的看法。

猴子傳給人類

一些科學家提出了「猴子傳給人類」的假說。他們經過研究後發現，生活在非洲的猴子體內也有愛滋病病毒，並且與人類愛滋病患者體內的病毒相似。研究者們從血液接觸可以感染上愛滋病病毒，以及中非地區高發病率與奇特生活習俗等方面，推想愛滋病病毒是由猴子傳染給人類的。

根據現有的資料顯示，早在美國出現愛滋病病例之前，中非地區的盧旺達、乍得等國家和地區就流行過愛滋病。有人推測，一種類似於愛滋病的病毒，最早存在於當地的猴群中，由於當地人經常被猴抓傷以及吃猴肉等原因，這種病毒就進入到人體，逐漸演變成了愛滋病病毒。但是，中非部分居民奇特生活習俗的歷史無疑長於愛滋病流行史。研究者進而假設：可能在很早以前，猴子就將愛滋病病毒傳給人類，但因偶然的原因幾度自生自滅。在現代，由於大量歐美人員到過非洲，染上了這種病毒，並把愛滋病病毒帶回歐美，所以愛滋病在歐美地區就廣泛傳播開來。

蚊蟲叮咬導致的

據《新科學家》周刊的一則文章指出，德國的一些科學家認為，廄螫蠅的叮咬可能是人類感染愛滋病病毒的原因之一。他們說，愛滋病最初由猴子傳到人的身上，是由一種名叫廄螫蠅的昆蟲引起的。廄螫蠅可能先是叮咬了患愛滋病的猴子，吸入有愛滋病病毒的血，然後又叮咬了人，從而使人感染上愛滋病病毒，以致產生愛滋病。

他們做了一個實驗：將帶有愛滋病病毒的血給廄螫蠅吃，然後查看在廄螫蠅前腸中的血，發現在這裡愛滋病病毒經受到了消化道中酶的作用，絲毫沒有變化，依然有感染能力。同時他們也發現，廄螫蠅在叮咬動物時，總是要先吐出一些在其前腸中的血到受害者的血液中。由此科學家們得出廄螫蠅的叮咬可能是人類感染愛滋病的原因之一。不過，從科學角度，他們的實驗結果還不能算是直接證據。

源於非洲野生黑猩猩

最近，美國、法國和英國三國科學家在喀麥隆熱帶叢林中，找到了一些帶有愛滋病病毒的黑猩猩的糞便。透過對這些糞便的研究，科學家認為，愛滋病病毒來自於野生黑猩猩。

患病的黑猩猩大都生活在喀麥隆的南部。透過研究這些黑猩猩的糞便，科學家發現它們的基因中有一個共同特徵，就是基本的基因模式是一樣的。其中，薩納加河流域的黑猩猩感染的SIV病毒和人類HIV病毒最相近。

多數科學家認為，很可能是喀麥隆農村有人被感染病毒的黑猩猩咬了一口，或是在宰殺黑猩猩時，不慎感染病毒。於是SIV病毒在人體內變異，演化成HIV病毒傳染給他人。

T　細　胞

大多數科學家認為愛滋病的發病與一種 T 細胞有關。一九八三年五月，法國巴斯德研究所的呂卡・蒙塔尼埃研究組從患者體內的淋巴結裡分離出愛滋病病毒。這種病毒能夠附在T細胞的表面進行繁殖。受感染T細胞很快就會停止生長，喪失免疫功能而死亡。而新繁殖的愛滋病病毒又釋放到血液中，尋找新的T細胞。這樣循環往復的進行，導致患者的免疫力下降，最終因喪失免疫力而死亡。

心臟猝死之謎

在人的一生中，猝死是一種最難預防的意外。猝死的人中有成功的企業家、正在最佳狀態的運動員等，可以說，猝死的發生不分年齡和人群。

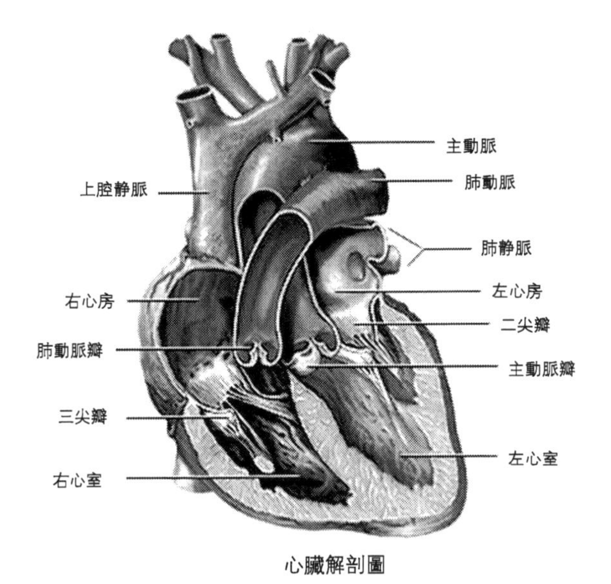

心臟解剖圖

猝死是指人在毫無異常的情況下突然出現的一種症狀，這種症狀表現的人會在六個小時內迅速死亡，有的甚至會在幾分鐘或幾秒鐘之內停止心跳。據統計，美國每年有一萬以上的人猝死，其中約百分之七十五的死者生前沒有心臟病史。為什麼有的心臟病人可以生存很多年，而心臟沒有問題的人卻會因為心臟功能突然死去呢？

有科學家認為，猝死是由於控制心臟搏動的電活動發生故障引起的。一般情況下，心肌細胞的電流處於均衡協調的狀態，一旦電活動發生故障，心臟內部電流的均衡狀態被破壞，心肌細胞就會失控，心臟的收縮舒張便會發生紊亂，人們將之稱為「心臟心電自殺」。還有科學家提出，心臟猝死的根源在於大腦而非心臟。控制心臟工作的大腦區域若發生故障，會產生使心臟失常的化學物質，導致心肌顫動，引發猝死。然而人類的大腦和心臟的神經聯繫千絲萬縷，人體腦部產生的化學物質種類繁多，成分複雜。哪些是導致心跳突停的物質？它們又是採用何種途徑相互傳遞的呢？這也是留給科學家們的難解之謎。

還有人認為，心臟猝死與人體情緒波動有關。科學家們日益重視行為心理和環境對心臟猝死的影響。研究結果證實，承受巨大的精神壓力、憤怒、悲傷、憂鬱等情緒，不但馬上會引起心臟功能失常，而且還會在以後誘發心臟病猝死。情緒與心臟猝死的關係是緊密相連的，這一點已為多數研究者所公認。

是否人們日常生活中很微小的精神緊張或發怒都可能增加心臟猝死的危險？過大的情緒波動是否會引起大腦某些神經結構突然崩潰，並釋放出猝死物質？心臟猝死者是否會死於我們目前尚不知道的「自發性」原因？現在，還沒有人能回答這些問題。心臟猝死究竟是怎樣引起的，至今仍然是個難解之謎。

生命奇蹟

生老病死是生命的自然規律，然而有些人卻創造了生命的奇蹟。有的人體內長的腫瘤會突然消失；有的胎兒是在母親的肝臟裡發育的……這些現象用現在的實證科學難以解釋，種種神奇事件等待著科學家們更深入的探索。

人類壽命極限

人類壽命的極限是多少？這是人們最關心的話題之一，科學家們也一直在尋找答案。人類的平均壽命在過去的幾十年中一直在延長，這種趨勢能保持多久呢？科學家透過對實驗動物的研究，發現包括限制熱量攝入在內的一些方法可以顯著地延長它們的壽命。這些方法是否可以成功地應用到人類的身上？如果可以，人類又能延長多少壽命呢？

加拿大渥太華心臟研究中心主席羅伯茲表示，科學家曾認為，可能還需要一百年，人類的壽命才能延長一倍。但多項研究成果已使科學家相信，這一時間將大幅縮短。他認為，五十年內，人類的平均壽命就可達到一百五十歲。

據英國《衛報》報導，長期從事人體衰老機制研究的美國南加利福尼亞大學生物醫學家瓦爾特·隆哥教授發現，經過基因「修改」的酵母菌壽命可延長六倍！這項試驗創造了延長生物壽命的最高記錄。科學家們已開始在老鼠身上進行此類試驗。實驗後，老鼠壽命明顯延長。如果按人類的平均壽命七十歲來算，一旦將生命延長六倍，那人類豈不是可以活到四百多歲？

現在已經發現了細胞的染色體頂端有一種叫做端粒酶的物質。細胞每分裂一次，端粒酶就縮短一點，當端粒酶最後短到無法再縮短時，細胞的壽命也就到頭了。如果對端粒酶來個「時序倒轉」，細胞不就長生不滅了嗎？

隨著公共衛生質量的提高，人的壽命也在不斷延長。在四千多年前的青銅器時期，人的平均壽命只有十八歲。從青銅器時代到一千九百年的三千九百多年間，人類的壽命估計增加了二十七年。從一九〇〇年到一九九〇年短短九十年間，增加的幅度至少也有這麼多。

科學界目前達成的共識是：人的壽命主要透過內外兩大因素決定。內因是遺傳，外因是環境和生活習慣。遺傳對壽命的影響，在長壽者身上體現得較突出。一般來說，父母壽命長的，其子女壽命也長。美國科學家發現，大多數百歲老壽星的基因，特別是「四號染色體」有相似之處。研究人員希望能夠開發出相應的藥物幫助人類益壽延年。外因也不可忽視。許多研究表示，通往長壽之路的關鍵，還在於個人科學的行為方式和良好的自然環境、社會環境。完全按照健康生活方式生活，可以比一般人多活十年，可能活到八十五歲以上。

技術主義者認為，透過現代科技來延長細胞生命是完全可行的。但保守人士認為，人的生命不是簡單的細胞分裂，衰老和長壽是多基因、多層面和多途徑的複合原因一起作用的結果。人體非常複雜，很難保證用基因改變了這裡而另一個地方還能照常運轉。另外，我們生活的環境大系統更是在人力控制之外。如此看來，人類壽命的極限還需科學家們進一步研究。

胎兒的奇異功能

人體呼吸系統的主要器官——肺，總是在不停地吸入新鮮空氣，然後把空氣中的氧氣留下來，再把身體產生的廢氣排除去。

可是，人在出生之前，肺是癟的，裡邊不僅沒有一點空氣，而且還灌滿了「水」（醫學家稱之為「肺液」）。所以到出生時，麻煩就來了。

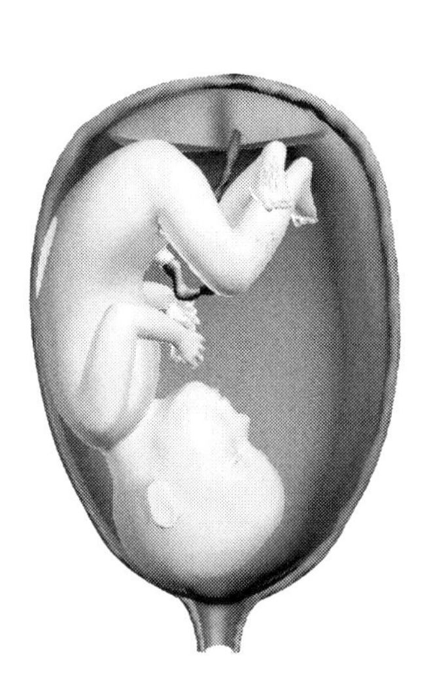

胎　兒

首先，必須把肺裡面的水排出去，否則空氣就無法進來。其次，還得讓癟肺張開，這就需要嬰兒自己能吸氣才行。可是嬰兒又怎麼知道出生了該吸氣了呢？這第一次呼吸究竟是怎麼發生的呢？

胎兒肺裡的肺液，少的有六、七十毫升，多的足有一二百毫升。可是嬰兒一出生，只要一吸氣，這些肺液又大都不見了，它們跑到哪裡去了呢？醫學家一直在探索這個問題。

有些醫學家說，胎兒從原來的「住處」（媽媽的子宮）出來，必須經過又擠又窄的通道（產道），經過產道這麼一擠，就把肺裡的肺液擠了出去，從口鼻中流走了。醫學家測量出被擠出的肺液，大約佔總量的三分之二。那麼，餘下的肺液又到哪裡去了呢？

經過研究，醫學家又發現嬰兒第一次吸氣都很用力。吸力大，進入到肺裡的空氣增多，然後再用力呼氣，把肺裡的肺液往上趕，肺的淋巴管馬上就會把肺液吸走。這麼幾次呼吸之後，肺的淋巴管就把剩餘的肺液吸得乾乾淨淨了。

不過，有些醫學家並不贊同這種說法。他們說剖腹產嬰兒的身體並沒有透過產道擠壓，可是肺液照樣能被很快排走。這是什麼原因呢？

雖然有多種分析，可是直到現在，醫學家還不知道嬰兒肺裡的肺液，究竟是怎樣被排出來的？

胎兒的味覺

在妊娠四個月時，胎兒舌頭上的味蕾已經發育完全。儘管羊水稍具鹹味，胎兒還是會津津有味地品嚐。新西蘭科學家艾伯特·利萊透過一個簡單的實驗證明胎兒的味覺在四個月時已經出現。他在孕婦的羊水裡加入了糖精，發現胎兒高於正常一倍的速度吸入羊水。而當他向子宮內注入一種味道不好的油時，胎兒立即停止吸入羊水，並開始在腹內亂動，明顯地表示抗議。

神奇的甦醒現象

一九八四年六月，在美國阿肯色州，十九歲的特里·沃利斯和兩個朋友駕駛著一輛敞篷小貨車行駛在偏僻的山路上，忽然車子失去控制，跌落在七點六公尺之下乾涸的河床上，開車的朋友當場死亡，另一個毫髮未損，而特里受了重傷。他第二天才獲救，但醫生告訴他的母親安吉麗，鑑於腦幹的受傷程度，特里也許會成為植物人。他頸部以下的身體都無法動彈，一直處於昏迷狀態。幾星期、幾個月、幾年過去了，他仍舊毫無起色。儘管他的父母每隔一週就從療養院接他回家一次，並一直和他講話，但他們不知道特里是否能聽見。十九年中，特里除了偶然地咕噥幾聲和眨眨眼，一切還是原樣。直到二〇〇三年六月，安吉麗看望他的時候，他忽然叫了一聲「媽媽」。安吉麗高興極了，把她兒子的甦醒稱作「一個奇蹟」。

接著，特里會說其他的詞了，如可樂、牛奶、爸爸等。不久以後，單詞變成了詞組和短句。很快，他能夠說出想要的任何東西，儘管說得還比較緩慢而且吃力。他女兒安姆波爾在車禍之前剛出生，而現今已經十九歲了，他的首要任務之一就是接受這個女兒。然而，他還處於時間斷層中，想要和他幾年前就過世的祖母講話。他能夠清楚地背出她的電話號碼，家裡其他的事情卻早已忘記。但他的家人已經很高興了，對這一點並不介意。

要解釋特里從一九八四年以來的思維狀態，必須了解大腦本身的一些知識。大腦是非常脆弱的器官，任何震動都會使它壓縮或膨脹。在特里遭遇車禍那樣劇烈震動的情況下，幾十億個組成大腦的神經細胞被拉緊、扭轉甚至斷裂。鋼軌之類的外界物體刺穿頭顱看上去很嚴重，但這種傷害一般僅限於大腦局部。與之相比，車禍雖然沒有使皮膚受損，但是對大腦的衝擊更具擴散性，因此也更具破壞性。大腦前後晃動，與頭顱基部碰撞，在各個衝擊點引起大面積的損傷。頭部損傷經常伴隨意識缺失，在不嚴重的情況下會造成腦震蕩，但僅僅持續幾分鐘。腦震蕩由神經細胞的暫時癱瘓引起，但對大腦沒有實質性的傷害。

沒有人能夠完全解釋為什麼長時間昏迷的人會忽然

間醒來。特里的醫生說，母親持續不斷地和他講話，對保持他的思維繼續活動有所幫助。但是由於腦幹受損，他無法控制身體的反應程度，或者是因為腦幹與其他感官的連接出了問題，特里在昏迷中不能做出反應。而他身體的其他部分沒有受到影響，功能正常，他沒有意識也能呼吸、分泌唾液、消化並排泄食物。因為在丘腦的影響下，所有的這些功能都由神經系統自發控制。事實上，許多從昏迷中甦醒的人都說，他們完全清楚發生在身邊的事，但就是不能交流。

特里的康復時間也令人驚奇。「真是不可思議，」他父親杰瑞若有所思地說，「他是在十三號的星期五出的車禍，十九年後，也是在十三號的星期五，他開口講話。」

儘管特里·沃利斯從頸部以下還癱瘓著，而且短期記憶也有問題，但是他已經從死亡線上回來了，這是不爭的事實。

腫瘤忽然消失之謎

布蘭登出生五個星期之後，醫生就診斷出他的脊柱上長了一個神經母細胞瘤，這是一種危險的兒童癌症。神經母細胞瘤源於神經細胞，多在腎上腺附近出現，非常靠近背部。少數情況下，神經母細胞瘤會在胸部和頸部的交感神經上生長，偶爾長在大腦中。有百分之八十的病例在十歲之前，其中多數在四歲前發病。神經母細胞瘤從相對無害到嚴重惡性，程度不同，在腫瘤已經蔓延到器官才被診斷出來的孩子中，只有不到百分之四十能再活兩年以上。在所有死於兒童癌症的孩子中，有百分之十五是因為得了神經母細胞瘤。

做手術摘除長在脊柱上的腫瘤是很危險的，因為這可能引起癱瘓；而另一方面，置之不理則會導致死亡。這讓布蘭登的醫生左右為難。最後他們決定，暫時的最佳辦法就是透過核磁共振成像（MRI）掃描監測腫瘤的生長情況，因為不滿一週歲的小孩易患神經母細胞瘤併發症。

布蘭登的父母麥克·考諾和克麗斯汀對這種癌症知之甚少，在搜集這方面信息的過程中，他們遇到了神經母細胞瘤專家凱瑟琳·馬塞醫生，她是舊金山加利福尼亞大學兒童腫瘤系的主任。凱瑟琳轉而諮詢了她的同事——神經外科的主治醫師納林·格普塔。格普塔對克麗斯汀和麥克說，他可以摘除腫瘤，而且不會讓布蘭登癱瘓。但由於手術風險很大，考諾一家還是猶豫不決。

到了二〇〇三年八月，離布蘭登第二個生日還有幾個星期的時候，他們經歷了一場恐慌。克麗斯汀回憶說：「他渾身發熱，開始是三十七點二℃，後來燒到三十九點四℃。他在浴盆裡站起來，哭了四十五分鐘，說：『媽媽，疼，疼！』醫生認為腫瘤開始全面擴散了。」雖然克麗斯汀和麥克知道還存在著風險，但他們決定動手術。

在手術計畫日期的前兩天，布蘭登接受了最後一次對脊柱的掃描。那天晚上，醫生盯著核磁共振，不敢相信自己的眼睛：腫瘤消失了，只剩下脂肪組織。

克麗斯汀說：「格普塔醫生問我：『先聽好消息還是壞消息？』我當然想先聽好消息。他說：『好消息是腫瘤不見了。壞消息就是，你們來舊金山只是做了個核磁共振。』我欣喜若狂，這真是個奇蹟。」

兩年之後，醫生還是不知道腫瘤忽然消失的原因。布蘭登的私人醫生布萊德利・喬治說：「在我們遇到的脊柱附近長腫瘤的孩子中，布蘭登是唯一一個康復的小家伙。在其他兒童癌症患者中，沒有過神經母細胞瘤這樣忽然消失的例子。這真是一個謎。」

神奇的復明現象

麗莎・萊德的腦部長了惡性腫瘤，阻斷了向眼睛供血的通道，導致她十四歲的時候完全失明，並且毫無康復的希望。然而十年之後，她頭部受到撞擊後，卻奇蹟般地重見光明。她的這種經歷讓醫生感到迷惑。

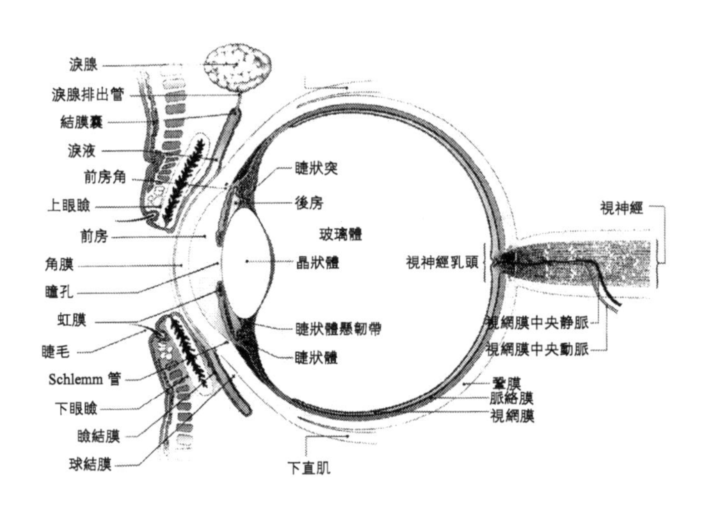

眼球解剖圖

在麗莎失明後，她養了一隻拉布拉多導盲犬，名叫阿米。正是阿米在不經意間給麗莎的命運帶來了意外的轉機。

麗莎的家住在新西蘭的奧克蘭市，二〇〇〇年十一月十六日晚上，二十四歲的她彎下腰想親吻阿米，道個晚安，她的頭卻不小心重重地撞在咖啡桌上。「我有點失去平衡，」她說，「我的頭磕到咖啡桌上，又撞到地板。」她第二天醒來時，驚訝地發現，十年來她第一次能夠看見東西了。「我先是看見白色的天花板。環顧房間明亮的光線穿過窗簾，我看到了阿米，牠真漂亮。」

麗莎決定暫時保守這個祕密，那天下午她才和家人聯繫，在電話裡她給母親念了一段菸盒上的健康警告。她母親路易絲回憶道：「麗莎打來電話，說：『我有變化啦，聽著。』然後就開始念健康警告。我驚喜得喘不過氣來。」

麗莎還不確定她的視力能不能持續下去。第二天，好消息傳來，她馬上扔掉導盲棍，告訴了更多的人。親友來到她家向她祝賀時，麗莎都認不出他們了。她弟弟已經從十二歲的孩子長成小伙子了，她也第一次看到了相處兩個月的男朋友的模樣。

醫生無法解釋麗莎的復明。人體中不能再生的組織不多，視神經就是其中一種。接下來的檢查也顯示，她眼睛的受損情況還和原來一樣。奧克蘭醫院的眼科醫師羅斯透露，儘管麗莎還不能完全辨別顏色，但她左眼已經恢復了百分之八十的視力。

麗莎想到視力可能像忽然恢復那樣再忽然消失，但並不憂慮。「醫生曾告訴我再也看不見東西了，但同樣是他，說現在我的視力恢復了百分之十八，能夠看著他告訴我這個消息，感覺太棒了。如果我的視力又忽然消失，我還是會感到幸運和幸福。」

雖然麗莎驚人的康復讓醫學界困惑，但她自己和她密切接觸的人卻沒那麼驚訝。

奇怪的疾病相剋現象

人們常常以為，一個人如果得了一種病，又得另一種病，病情往往會加重，搞不好會一命嗚呼，但事實上並不完全都是這樣。

奇怪的現象

一九八二年，在美國的一家醫院裡，一個患晚期胃癌的病人，因胃壁受到細菌感染而突發高燒。病人幾乎完全喪失治療的信心，無奈地等待死神的降臨。然而，令人難以置信的是，過了不久，病人的燒退了，炎症消失了，病理檢查證實他身上已沒有癌細胞，胃癌就這樣奇蹟般地好了。

一九八七年，法國一個患有低丙種球蛋白血症（一種罕見的免疫系統疾病）的男人，又感染了愛滋病病毒。人們都以為這位不幸的病人，再經歷這麼一次「雪上加霜」的摧殘，只有死路一條了。可這位病人在被愛滋病病毒感染之後，其病情卻日漸好轉，以致身體免疫系統得到恢復。

有關這種病病相剋的奇妙現象已得到醫學家們的重視，醫學家們還發現了其他病病相剋的現象。比如：患震顫麻痹（又稱「帕金森氏症」）的人不容易得癌症；鐮形細胞貧血症患者不容易得瘧疾；急性髓細胞性白血病（血癌）患者，如果後來又得了病毒性肝炎，其平均壽命反而比沒有得病毒性肝炎的更長；每年患一到數次感冒的人比極少患感冒的人，更不容易得癌症等。

疾病相剋原因的探索

疾病之間為什麼會相剋呢？目前，科學家們還沒找出一個確切的答案。不過，這種奇妙的現象，肯定與人體免疫防衛系統有密切關係。比如，對癌症來說，它能抑制體內的免疫系統，使之處於「休克」狀態，然後乘機發展、擴散。要是人體同時得了第二種疾病，就會解除免疫系統的「休克」狀態，於是免疫系統就會對癌症發起進攻，就可能「打敗」癌細胞。

由此可見，人們關於「破罐兒經得住摔，病鬼兒命根長」的說法也有一定道理。平時疾病纏身的人，由於其機體不斷受到病原物的刺激，使分泌功能得以促進和加強，充分調動了體內免疫力的「積極性」，因而壽命反而更長。這種病病相剋的現象，也為治療疾病，特別是一些頑症、絕症提供了新的思路。比如，有人從癌症病人發熱後，癌症消失的現象中得到啟示，創造了「癌症加熱療法」，即用電熱褥把癌症病人包裹起來，通電加熱，以人為方式提高體溫，以殺死體內的癌細胞。也有人設想出「生一次小病治一種大病」的治療方案。我們相信，科學家對疾病相剋現象不斷深入的研究，必將造福於人類。

具有透視功能的女孩

一個名叫娜特莉亞的十七歲俄羅斯女孩，自稱擁有X射線般的視力，她說自己能看到人體內部，辨認出一個人內部器官的狀況。她還說自己有雙重視力，盯著一個人看兩分鐘，就能從正常視力轉變為「醫學」視力。但是，她不能透視自己的身體。

十歲那年，娜特莉亞切除了闌尾。很不幸，醫生把消毒棉忘在她腸子裡了，所以她不得不進行第二次手術。手術一個月之後，她忽然可以相當詳細地描述出她母親的內臟情況，雖然她還不知道各個器官準確的名字。她父母相信女兒的特異功能是由那次拙劣的手術引起的。娜特莉亞的母親憂心忡忡地帶她去精神病醫生那裡看病，女孩卻看出了醫生有胃潰瘍，而醫生的確患有此病。後來，娜特莉亞有超能力的消息傳開了，她在薩蘭斯克醫院接受了嚴格的測試。在一次測試中，醫生讓她觀察一個病得很嚴重的女孩。娜特莉亞事先不知道患者的病情，卻辨認出了她所患有疾病。超音波檢查證實了她的判斷。

二〇〇四年一月，娜特莉亞前往英格蘭接受電視節目「晨間新聞」的採訪。她準確地判斷出三個陌生人的身體狀況——一個沒有左腎，一個脾臟做過手術，還有一個左肩部有舊傷。來到節目的一位住院醫生確認了此事。

對人體最黑暗角落中最細微的病症，一般超音波檢查往往發現不了，娜特莉亞卻能辨認出來。她說：「很難解釋我是如何發現具體疾病的，但我能感覺到從受損器官發出的信號。我的第二視力只在白天工作，晚上它就休息了。」

娜特莉亞能夠透視人體，並生動而詳細地描述出來，對此俄羅斯科學家至今也無法解釋。雖然在美國她的表現不佳，在七個人裡只看出四個人的病症，但她透過護照上的照片，就能判斷出此人得了什麼病，引起了日本科學家的興趣。從一張小照片上，娜特莉亞立即發現那個人患有肝癌。東京大學的木村昌郎教授專門研究有特異功能的人，他說：「我們做了全面的測試，發現最奇怪的是她能夠對照片運用超能力，即使是護照上的小照片也可以。她觀察照片，就能清楚地看到疾病所在。她無疑具有某種我們還不能解釋的天賦。」

儘管懷疑者還不能完全相信，但俄羅斯的人們卻盼望著向她諮詢。她每天會接到二十多通電話，她家外面也經常有人排著長隊。她從不拒絕任何人，也不收取任何報酬。她希望接受進一步的實驗來找到自己具有透視功能的原因。她說：「我沒什麼好隱藏的，讓他們儘管對我做實驗吧。也許他們能夠找到我第二視力的根本原因。」同時，她在莫斯科學院學習醫學，她說：「會使用醫學術語的話，我最終的判斷就能更精確。我必須了解所看到的東西。」

聽覺的離奇喪失和恢復

二○○四年四月，二十一歲的艾瑪去浴室洗澡，忽然聽見「嘭」的一聲，隨後她的世界就一片寂靜了。從那時開始，她耳聾了七個月。直到有一天她得知自己懷孕的時候，她的聽覺又意外地恢復了，和消失時一樣突然。

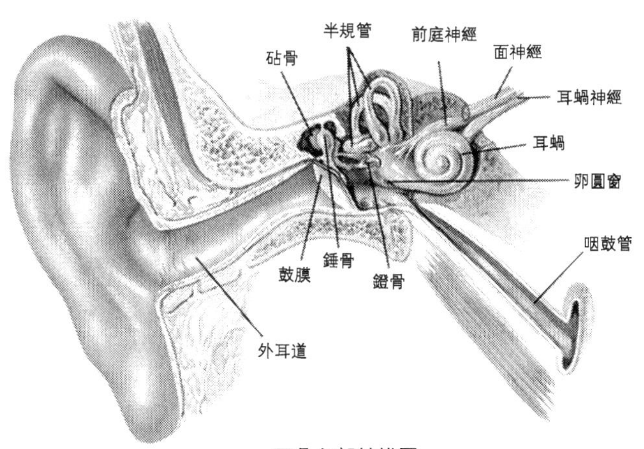

耳朵內部結構圖

艾瑪在南安普敦當保姆，她的苦惱經歷開始於本應該快樂的一天。那天她和男朋友凱文計畫晚上出去慶祝他倆的訂婚。準備出門之前，她上樓洗澡，但是二十分鐘後，她發現自己站在浴室裡，什麼都聽不到了。而且，她不知道中斷的那段時間裡發生了什麼。她說：「我剛要沖澡，忽然感到周圍的聲音都低沉下去，變得非常微弱，後來完全消失。剛開始感覺耳朵裡面有模糊的聲響，想了一下之後就完全沒聲了。我搞不清楚這是怎麼回事。我記得向樓下的母親求助，說自己聽不見了，可是我不知道發生了什麼。有二十分鐘的時間是中斷的。我猜測是我的頭撞到什麼東西了，但是並沒有磕碰的跡象。」

在南安普敦綜合醫院，醫生給她做了檢查，確認她已經完全失去了聽力。醫生也不知道她為什麼忽然耳聾，但表示這可能是心理問題。所以艾瑪去找催眠師，接受精神自由療法。這是一種類似針灸療法的精神治療，用指尖而不是針來刺激全身的穴位。她進行了八個療程的治療。後來，十一月一日的早晨，她在家裡做了孕檢，結果呈陽性。這對艾瑪來講是個天大的好消息，因為她曾在二〇〇二年做過流產，醫生說她也許再不能懷孕了。幾個小時過去了，她的情緒一直比較激動，最後她開始坐下來看電視。

艾瑪激動地回憶當時的情況：「我坐在沙發上看一個電視劇，當時我開了字幕，盯著他們的嘴讀唇語，但是後來我感覺能聽到他們講話了。我擔心是心理作用在搗鬼。我試著敲打手指，看能不能聽到，然後給凱文打電話，看能不能聽到電話裡的聲音。我確實聽得見，但在驚訝中，我慌亂地掛斷了電話。

「我還擔心，祈禱著『但願這是真的』。我又給凱文打過去，他沒說話。我告訴他這不是沉默的時候！我希望他一直說，好讓我相信這是真的。

「儘管希望康復，但這還是太出人意料了。我沒有絕望過，但感覺好轉的可能性很小。這件事真是太奇怪了。」

儘管艾瑪和專家一樣對聽覺的忽然喪失又忽然恢復感到迷惑，但她堅信這是心理使然。目前還不知道是什麼原因導致她突然耳聾，也不知道，她恢復聽覺會不會和得知懷孕時的欣喜心情有關。

在肝臟裡發育的孩子

二十歲的納塞斯曾正常地產下第一胎，她根本沒想到第二胎會出現異常。懷孕幾個月之後，她在南非開普敦的診所裡接受了檢查，結果是一切正常。但是二〇〇三年五月，她由於高血壓被送到索梅塞得醫院，檢查的結果令全院震驚：離預產期只有一週了，納塞斯的子宮居然還是空的——胎兒是在母親的肝臟裡發育的。當時全世界的報紙都爭相報導這條新聞。

十六歲的實習生琳賽那天晚上在索梅塞得醫院的產房當班。「她看起來是個正常的孕婦。」琳賽回憶道。胎兒已經發育了三十九週，其頭部在骨盆裡應該很容易發現，但是檢查的時候，琳賽卻找不到胎兒的頭部。腹腔中，胎兒的臀部位置偏高。她迷惑不已，報告了醫生。醫生給孕婦做了超音波掃描，也更加疑惑。他沒有發現胎兒的頭部，而且子宮也是空的。

納塞斯轉院到格魯特醫院，在那裡的檢查結果證實她屬於宮外孕，而且胎盤位於腹腔上部。婦產科醫師布魯斯是婦科癌症專家，並擅長實施高難度的外科手術。因為這種情況比較少見，所以他希望可以用手術來解決。然而，手術遇到了麻煩。

在進行剖腹產手術的時候，他發現了更大的謎團：納塞斯所有的器官位置都是正常的，但就是不見胎兒。三十名醫生和實習生聚集在病人周圍，想看個究竟。結果布魯斯醫生找到的不是胎兒，而是巨大的、擴大的肝臟和胎盤。

在正常情況下，卵子受精之後應該透過輸卵管到達子宮，並在子宮內發育，但是有時候胚胎停留在輸卵管中，形成典型的異位懷孕。胚胎還可能游移到輸卵管外面，隨機在腹腔中的某處發育，這種情況發生的機率約為十萬分之一。納塞斯就屬於這種罕見的情況，胚胎固定在血液豐富的肝臟表面，然後長到肝臟內部，把母體的肝臟細胞擠到邊上。儘管胎盤可以保護其中的胎兒，但保護作用還是沒有子宮那樣強大。所以，胎兒在腹腔中的危險性較高，幸存下來的機會很小。

布魯斯醫生發現納塞斯的孩子長在肝臟裡後，叫來了肝臟外科教授。納塞斯的肝臟有橄欖球那樣大，上面血管豐富，極易出血，所以手術相當危險。胎盤包裹在羊膜囊裡面，連著肝臟。如果直接摘掉胎盤會導致大出血，所以外科教授只能靠手術的臨場發揮找到拿出胎兒的方法。湊巧的是，他和布魯斯醫生在肝臟基部發現了一個直徑五公分的「缺口」，在這個狹小的區域，胎盤和羊膜囊沒有連在一起。這是唯一的突破口。

切入之後，孩子的左腳先出來了，然後是右腳、軀幹、胳膊，最後是頭。但還是有很多工作要做。嬰兒受到損傷，需要讓他甦醒；胎盤也開始流血了，所幸專家能夠止住血。下面的問題就是該如何處理胎盤和羊膜囊。最後醫生決定把它們留在肝臟上不作處理，因為切除它們會給產婦帶來太大的危險，一、兩個月之後，它們就會被人體吸收掉。

嬰兒體重正常，儘管出生後必須依靠吸氧，但是兩天之後她就能自己呼吸了。在此之前，世界上只出現過十四例胎兒在母親肝臟裡發育的病例，由於流血或併發症，只有四個孩子存活。醫生說這是個奇蹟。

奇妙現象

人類世界，無奇不有。有的人能自燃，有的人的牙齒能接收廣播，有的人死後身體不會腐爛，有的人打嗝打了六十八年……各種各樣的奇人奇事，令人們驚訝不已！種種神祕現象亟待科學家們進一步的發現和探索。

人體自燃現象之謎

人體自燃現象最早見於十七世紀的醫學報告中，時至今日，有關的文獻更是層出不窮，記載也更為詳盡。那麼，什麼是人體自燃呢？它是指一個人的身體未與外界火種接觸而自動著火燃燒。

人體自燃

一九五一年，佛羅里達州聖彼得堡的利澤太太被人發現在房中化為灰燼，但房子卻絲毫未受損壞。在事故現場除了椅子和旁邊的茶几外，其餘家具並沒有嚴重損毀，可是奇怪的是，天花板、窗簾和離地一公尺以上的牆壁散發出一層氣味難聞的油煙，在一公尺以下的牆壁卻沒有。附近的一些易燃物品，如一張桌子上的報紙以及桌布、窗簾，全部安然無損。調查人員使用各種現代科學方法來調查這一件神祕意外的來龍去脈，可是歷時一年，仍然沒有把事件弄清楚。

在世界其他地區也有像利澤太太這樣人體自燃的案例，而且自燃的形式各式各樣：有些人只是受到輕微的灼傷，另一些人則化為灰燼。更令人不可思議的是，受害人所穿的衣服，有時竟然沒有燒毀。還有些人雖然全身燒焦，但一隻腳、一條腿或一些指頭卻完好無損。

最近，有人認為體內如果存在一種比原子還小的「燃粒子」，就可能引起人體自燃。這種現象一旦發生，人體就會被燒得收縮起來，甚至有時會在瞬間化為灰燼。人體自燃現象是十分罕見的，而且是不可預知的，因此要找出人體自燃的原因，還需要一段時間。

相關連結

自燃後大難不死的幸運者

在一九八五年五月二十五日的晚上，十九歲的波利·列斯里正在英國倫敦大街上散步。突然，他感到全身發熱。他看了看自己，發現自己的身體竟噴出火來。火突然在他上半身燃燒起來，難以忍受的高熱和疼痛同時向他襲來。列斯里雙手蒙臉，希望能保住自己的眼睛。但是火勢凶猛，他的胸、背、腕都像被烙鐵燙著那麼疼痛，大腦有煮沸的感覺。他想奔跑，但是沒跨出幾步就重重地摔倒了。當死神向他步步近逼時，想不到他身上的火焰一下子又完全熄滅了。隨後數分鐘，鑽心的疼痛又降臨到他身上，列斯里咬住牙，走到了附近的醫院。由於列斯里年輕力壯，燒傷後又獲得了及時的治療，而且在治療期間未被細菌感染，幾星期後他就在醫生的精心治療下痊癒出院了。他是現代經歷人體自燃現象後，大難不死的幸運者。

能接收廣播的牙齒

人們有時候會聽到透過牙齒收聽廣播的故事。這類故事常常被認為是虛構出來的，然而，美國牙科協會說，每個月都有人向他們諮詢類似的問題。

喜劇演員露西身上也經歷過這樣的事。她說：「在一九四二年，我用鉛填充了幾顆牙齒。過了幾天，晚上在開車的時候，忽然聽到了音樂。然後，我彎下腰去關收音機，但發現它本來就關著。後來，音樂聲越來越大，我才發現聲音是從我嘴裡發出來的。我甚至聽出了是哪首曲子。我的牙齒嗡嗡作響，像被鼓點敲擊著，我以為自己昏頭了。我想：這是見什麼鬼啦？然後聲音漸漸平息。」

第二天在攝影棚裡，她滿腹狐疑地把這件事講給演員巴斯特·基頓聽。基頓笑著告訴她，那是因為她牙齒裡的填充物收到了廣播，他有個朋友也遇到過這種事。當然，這個故事可能被她誇大了，但是在二十世紀三十年代和四十年代，當美國各地安裝了功能強大的AM發報機之後，的確有許多當地居民說從柵欄的鐵絲、浴缸和牙齒填充物上聽到了音樂。這完全是民間傳說還是具有科學依據的事實呢？

一些科學家說，只要有合適的條件，人的嘴完全可以像收音機電路一樣工作。收音機電路的構成只需最基本的三個部分：天線，用來接收廣播電磁信號；檢波器，一種把無線電波轉換成人耳可聽到的聲音信號的電子元件；轉送器，即任何能實現喇叭功能的東西。他們說，在極少數情況下，人的嘴能夠達到這種條件。人體具有導電性，可以充當天線。牙齒裡的金屬填充物和唾液反應，能像半導體一樣檢驗波音頻信號。轉送器可以是嘴裡任何能振動並產生聲音的東西，例如鬆動的填充物。

有些人不認同這種觀點，說聽起來像無線電波的東西，其實只是一種化學反應，由嘴裡的填充物和唾液中的酸相反應而引起。當然，這只是一種理想化的情況。

不管怎樣，雖然透過牙齒聽到音樂的報導偶然還會出現，但此類事件的多發時期已經過去四十多年了。這是否與收音機的過時或牙齒填充物類型的變化有關呢？我們不得而知。

體驗死亡

人們都想知道人在臨死前的一瞬間會想到什麼？腦海裡會出現什麼圖像？又有哪些感受？健康人是很難回答這些問題的，學者們只好去尋找那些「死而復生」的人。這些人曾經到過死亡的邊緣，經過一場生與死的搏鬥後，又獲得了「第二次生命」。在他們醒來的時候，最讓他們難忘的就是臨死前的感受。

瀕臨死亡的體驗

一九〇〇年五月，讓・埃爾先生不幸遭遇車禍，差點兒喪命。他在醫院的病床上躺了四個多月，經歷了多次生與死的搏鬥。他在康復之後回憶說：「有好幾次，醫生斷定我已經死亡，並叫來了我的妻子。每一次死亡，我都好像陷入一片黑暗，遠處出現一道亮光，那亮光使人感到平靜安逸，一切痛苦都終止了。這時，我面臨兩個選擇：是返回人間，還是迎著那亮光走去。我有妻子和孩子，我不想死，最終我戰勝了死亡。」

一九八七年，美國紐約的蓋洛普研究所進行了一次大規模調查，有八百萬美國人聲稱他們經歷過「地獄之行」，並且清楚地記得在死亡邊緣的奇特經歷。人們管這種經歷叫「瀕臨死亡的體驗」。

瀕臨死亡體驗的感受

為了弄清楚瀕臨死亡體驗的具體過程，心理社會學家肯尼斯對經歷死亡後又被搶救復生的人進行了大量的研究。透過對倖存者敘述的分析，他把人類在瀕臨死亡的體驗分為以下幾個詳細的階段：

死亡體驗

約有百分之五十七的患者表示，瀕臨死亡時首先感受到的是安詳和輕鬆，覺得自己在隨風飄蕩。大多數人都能適應這種黑暗中的飄蕩感，因此內心極為平靜。

約百分之三十五的人表示，在飄蕩感後，會有意識逸出體外的感覺。他們大多數覺得自己意識遊離到了天花板上或半空中，就好像靈魂脫離了身體。

另外，有百分之二十三的人表示，在以上情況出現之後，覺得自己被一股突如其來的旋風吸到了一個巨大的黑洞口，自己的身體在黑洞中被牽拉、擠壓，急速地向前衝去，這時他們沒有不適感，反而覺得心情平靜。

根據患者的描述，黑洞的盡頭閃爍著亮光，自己一生中的重大經歷在眼前一幕一幕地快速飛逝，約佔百分之十的人表示，這時會覺得自己猶如同宇宙融合在了一起，精神得到了昇華。

產生「瀕臨死亡體驗」的原因

科學家經過研究發現，心跳停止後又復甦的人群中，百分之四到十八有過瀕死體驗。對於這種瀕臨死亡的體驗，大多數科學家認為是一個人在彌留之際的幻覺，大腦細胞在人的心跳、呼吸停止後勉強工作的結果。他們認為，瀕死體驗只是一種生理現象，與任何虛渺的空間、天堂或者靈魂的存在沒有關係。經歷這種瀕死感覺的人，很可能患有睡眠麻痺的症狀。

瀕死體驗遠不是現有的經驗數據所能解釋的。我們都知道，當一個人的心臟停止跳動後，由於供血切斷，腦功能會急劇下降。心律和腦輸出數據顯示，在心跳停止的短短十多秒內，腦電波變平了，這意味著大腦關停了。長期致力於研究瀕死體驗的荷蘭退休心臟病專家皮姆·勞梅爾把這種狀態下的大腦比做一個拔掉電源的電腦，它不能產生幻覺，也不能做任何事。

那麼，奇異的幻覺又是怎樣產生的呢？許多醫學家認為，這是由病人所使用的急救藥物中的致幻物質所引起的，或者是由於長期用藥造成的。

直到最近，還沒有一個科學理論能完整地解釋為什麼會產生瀕死體驗的現象。想要真正了解人的死亡體驗，揭示產生死亡體驗的原因，看來還需要經歷一段漫長的探索過程。

持續六十八年的打嗝

人類打嗝的原因幾個世紀以來一直困擾著科學家。打嗝不僅沒有什麼好處，還是件位令人討厭的事，尤其像美國艾奧瓦州安東市的查理斯·奧斯伯尼那樣，打了六十八年的嗝！一九二二年，在殺豬前給豬稱重的時候他開始打嗝，一直不見症狀減輕，直到一九九〇年。據估算，他一生打嗝達四億三千萬次。不幸的是，他在停止打嗝的第二年就去世了。

當人受到刺激並吸入空氣時，咽喉後側聲帶之間的空隙（聲門）忽然關閉，發出響聲，這就是我們打嗝時聽到的聲音。多數的打嗝發作起來並沒那麼嚴重，用各種方法，如喝水、憋氣、拍打背部等，幾分鐘就可治好。

儘管我們完全清楚是什麼原因引起打嗝的，但打嗝的具體目的多年來讓最傑出的醫學家亦感到困惑。科學家們試圖找到解釋，於是從人類的初級階段開始研究。超音波掃描顯示，兩個月大的胎兒在子宮裡就會打嗝了，而此時呼吸運動尚未開始。一種理論說，這種收縮鍛鍊了胎兒的呼吸肌，為出生後的呼吸做準備；另一種理論說，這是為了避免羊水進入胎兒肺部。

二〇〇三年二月，法國科學家提出一種新的理論。在巴黎的一家醫院，由克里斯丁・史兆斯帶領的研究小組表示，人類打嗝的原因，可能跟祖先曾在海裡生活有關。他們指出，某些動物關閉聲門並收縮呼吸肌，有其特定的目的，呼吸空氣的原始動物還保留著腮，比如肺魚和青蛙，這些動物擠壓口腔使水流過腮，同時關閉聲門以防止水進入肺。史兆斯說，原始動物控制腮呼吸的大腦回路，可能保留到現代哺乳動物身上，包括人類。

研究人員指出，打嗝與蝌蚪等動物的腮式呼吸有很多相似之處。肺裡充氣或外界二氧化碳濃度較高的時候，二者都受到抑制。人類的祖先早在三億七千萬年前就開始向陸地遷移了，為什麼人類現在仍然在打嗝呢？史兆斯認為，控制腮和聲門的大腦回路，之所以經過多年進化還能保留下來，是因為它對產生其他更複雜的運動模式有幫助，比如吃奶。吮吸乳汁的一系列動作與打嗝相似，關閉聲門可以防止奶水進入肺部。史兆斯說：「打嗝可能是為了吃奶而付出的代價。」

心臟具有智能嗎

以前人們總認為，人是靠心來想事情的，比如人們喜歡說「心想事成」。中國古人把思維本領歸之於心也是由來已久的。如《孟子》說「心之官則思」，明確地指出了心臟「思」的功能。古代哲學家荀況同樣認為，心是人體的支配者，又是精神活動的主管。甚至在五十年前，有些學者還在著作中宣佈：「心和腦都是人的思想庫。」古希臘人也認為心是思維的器官。

我們知道，腦子是掌握思想的機器，並認為只有它才具有智能。現代生理科學興起後，人們通常並不相信心能「思」，心有「智能」，只認為它是一個機械性器官，它的主要作用就是把血液輸送到全身去，並且把古人所說的「心」都一概解釋為「腦」。的確，我們目前說的「眉頭一皺，計上心來」、「用心讀書」、「一心不能二用」、「心有靈犀一點通」等，都指的是腦功能。

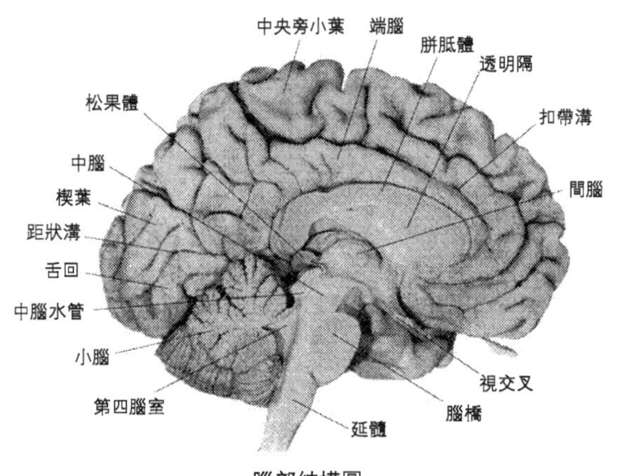

腦部結構圖

不過，最近的研究表示，心臟也可能被列入「智能器官」。在二〇〇〇年前，人類就已經知道異常的情緒對心臟會有不良影響。瑞典和美國的學者在調查了一萬七千四百三十三名成人後得出結論：心臟需要友誼，因為孤獨、寂寞的人約有一半左右死於心臟病。有的心理學家發現：心跳適當加快可以提高工作效率，因為心臟這時會給腦子發信號，提醒「司令部」集中精力去作好工作。美國的生物化學家發現，心臟能製造特殊激素，與腦溝通，「指導」其他器官如何更好地為健康服務。

根據上述發現，許多醫學博士認為：心臟實際是一種「有智慧」的器官。當然，心臟的「智能」究竟有多大，還有待進一步證明。

傳染病流行中的異常現象

傳染病是指在人與人或人與動物的接觸過程中，透過呼吸、體液、血液等途徑傳播的疾病。在洲際飛行普遍的今天，全球性流感傳播似乎並不奇怪。但在飛機發明之前很久就曾爆發過全球性流感，並在全球許多地方幾乎同時爆發。這種現象就十分奇怪了，它是怎樣迅速傳播呢？科學家對其進行了一系列的探索。

傳播地域的異常情況

傳染病在相隔遙遠的地域幾乎同時爆發。一九一八年九月二日，第二次全球性流感首先在美國麻省開始傳播，並在很短的時間內傳遍全世界。

這次流感的傳播方式不同尋常：一方面，相距遙遠的美國波士頓和印度孟買在同一天爆發流感。眾所周知，在一九一八年，沒有人能在一兩天內從麻省到孟買，也沒有什麼飛禽走獸有這樣的能力，連風都不可能以這樣的速度沿此路線吹過去。另一方面，流感經過三個星期才從波士頓傳到紐約，而這兩個地方的人們來往卻很頻繁。這種奇怪的現象令人們迷惑不解。

傳播媒介的異常情況

傳染病在人口稀疏的地帶迅速傳播，而在這些地方，人與人的接觸極少。

一九一八年十一月和十二月，一場致命的流感席捲整個阿拉斯加州。阿拉斯加州的面積很大，但只有四萬五千位居民，地廣人稀。當時正值冬季，由於冰雪緣故，人從沿海進入內陸基本是不可能的。

傳播群體的異常

一些地區或人，儘管已接觸傳染源，卻能保持不被感染。五四〇年古羅馬的鼠疫流行中，有一些人甚至就居住在被感染者中間，並且還不僅僅與被感染者，而且還與死者有所接觸，但他們完全不被感染。還有人因為失去了所有的孩子和親人而主動擁抱死亡，並且為了達到速死的目的而和病人緊緊靠在一起，但是，彷彿疾病不願意讓他們達到目的，他們依然健康。

爆發時間的異常

相隔數世紀的間歇性爆發，在這期間，病原菌藏在哪裡呢？關於淋巴腺鼠疫的記載，最早出現於西元前五世紀的印度。在西元一世紀，在敘利亞和北非爆發。但在西元一世紀與西元六世紀之間沒有記載。五四〇年，古羅馬帝國爆發鼠疫，有一億人死亡。在隨後的八個世紀中，淋巴腺鼠疫似乎從地球上消失了。直到一三四七年至一三五〇年重新爆發。這之後到十七世紀中期，有零星的小的傳播。在後面的兩個世紀中，它又銷聲匿跡了。然後於一八九四年在中國再次出現。那之後一直到第一次世界大戰，它在印度造成一千三百萬人死亡。

天花最早是在西元前十一世紀印度的木乃伊上發現的。這之後，天花就從古代的醫學著作中神祕消失了。西元初期它席捲古羅馬，然後再次消失，直到六世紀又重新爆發。

傳播速度和範圍的異常情況

一九九一年一月三十一日，在利馬北部的海岸開始流行霍亂。兩個星期中，它沿著祕魯海灣推進了一千二百英里，像野火一樣蔓延。一個月內就感染了七萬人。二月二十八日，到達厄瓜多爾，三月八日到達哥倫比亞，四月十六日到達智利，四月二十二日，傳入巴西內陸。霍亂病菌在體外只能存活很短時間，因而只能透過人體傳播。它在南美的迅速傳播，兩個星期一千二百英里的速度，意味著帶菌者必須在大範圍內迅速活動，透過糞便和各種水源傳播給成千上萬的人。

傳染病的這些奇怪的現象，至今仍是未解之謎。

神祕的人體不腐現象

古今中外，人體不腐的現象引起了科學界和醫學界專家們的高度重視。人體究竟為何會不腐呢？

元際禪師的故事

中國古代僧人用祕方保存肉身的事例也甚多。唐代高僧元際禪師的肉身，歷經千年至今仍然保存完好，被學術界視為「世界奇蹟」。十分可惜的是，現在這件國寶級的文物不在中國，而在日本橫濱鶴見區總持寺中，被日本視為「國寶」。

在唐貞元六年（七九〇年），九十一歲的元際禪師知道自己時日不多了，於是返回故鄉湖南衡山的南臺寺。從此，他便停止了進食，只囑咐門徒把他平日搜集來的百餘種草藥熬湯，每天他都要豪飲十多碗。一個月後的一天，他端坐不動，口念佛經，安詳地圓寂了。這樣又過了月餘，禪師的肉身不但不腐，而且還散發出芬芳。

二十世紀三十年代，日本間諜渡邊四郎乘亂把元際禪師肉身偷偷地裝船運到日本，並一直祕而不宣。直到他死後，人們才從倉庫裡發現禪師的肉身。只見禪師盤腿而坐，雙目有神，儼如活人。專家們認為，一般的木乃伊只是人工藥物製的「軀殼」，不足為奇。可是禪師的肉身一直暴露於空氣中，仍能千年不朽，實在是奇蹟。

沼澤地裡的屍體

一九八四年，在英國曼徹斯特附近的沼澤地裡，科學研究人員發現了一具男性屍體。經研究發現，這名男子雖死於大約二千年前，但看起來卻像是不久前才去世的。科學研究人員利用現在的高科技手段，發現祕密在於一種有著特殊防腐性能的沼澤化學物質。原來，苔蘚遍布於小塊低窪地，並導致了泥土變得又澇又帶酸性時，沼澤便開始生成。在這樣的條件下，細菌很難生存，更談不上分解死去的苔蘚以及別的植被了，後者便慢慢地堆積起來，碳化成泥煤。與地下水斷開了的屍體能保持潮濕達數世紀之久，且處於泥沼水化學效應的庇護下，免受細菌的侵蝕。苔蘚產生的單寧還把死屍的皮膚鞣化成皮革狀，從而起到保護屍體不腐爛的作用。

失眠的原因

每晚，地球上都有上億人輾轉反側，無法入睡，這種症狀叫做失眠。對有些人來說，偶爾一、兩天晚上睡不著並無大礙，但對另一些人來說，失眠長期困擾著他們，漫漫長夜也變成了無聲的煎熬。

導致失眠的原因各式各樣，但其中最常見的是心理壓力：可能是因為臨近考試，你擔心沒有充分複習；可能你在白天剛跟朋友吵過架；也有可能是因為你的生活太忙碌，沒有時間充分休息。一整天繁忙的工作讓你筋疲力盡，可偏偏在這時候卻又怎麼也睡不著——你太「緊張」了。

憂鬱症也可以引起失眠。憂鬱不同於正常的心情沮喪，憂鬱症患者通常會長期地感到悲傷絕望。他們每天很早就會醒來，之後就無法再次入眠。

還有許多其他原因會導致失眠。比如，劇烈的運動使身體產生大量腎上腺素和其他的興奮激素，所以如果在睡前做了運動，比如慢跑或打籃球，你就會覺得頭腦清醒，能量充沛，以至於在床上翻來覆去幾個小時也無法入睡。

有些食物和飲料也會讓我們難以入睡。如咖啡、茶和一些軟性飲料中含有一種興奮劑，叫做咖啡因。晚飯後喝這些飲料會延遲睏倦產生的時間。最奇怪的是，酒精也會讓人夜不能寐。酒精有催眠的作用，會讓人昏昏欲睡，但當你真正想要睡覺時，卻反而睡不踏實了。醒來後，又會感覺頭昏眼花，四肢無力。

時差也會打亂你的作息規律。離開一個時區進入另一個時區，比如說從台灣到英國，你身體裡的固有節奏就被打亂了。按照英國的當地時間該睡覺了，可你的胃卻認為現在還是八個小時之前，是午後時分。為了適應當地的作息時間，你通常需要幾天的時間來調整時差。還有些時候，失眠是由睡前的活動引起的，比如，看了驚險刺激的電視節目，或者晚餐吃得太飽。

為什麼我們睡覺時會做夢

大腦在做夢的時候都發生了哪些變化？在一九五二年之前，人們對此一無所知。大多數科學家都認為，跟它睡著的主人一樣，大腦在睡眠過程中沒有任何活動。

後來，一位美國芝加哥大學的畢業生——尤金·阿瑟林斯基用腦電圖機，來檢測他八歲兒子熟睡中的大腦。腦電圖機是用來檢測大腦活動時發出微弱電信號的機器，它可以將檢測到的腦電波描記在記錄紙上。他發現了令人意想不到的結果。在孩子熟睡過程中，每隔幾個小時，腦電圖機的描記筆就會突然劇烈地抖動起來，這表示此時大腦的活動比較頻繁。與此同時，孩子的眼球會在緊閉的眼皮下快速轉動。終於，當描記筆再一次劇烈抖動起來時，阿瑟林斯基叫醒了兒子，兒子醒來後告訴父親，他正在做夢。

就這樣，阿瑟林斯基發現了「快速眼動」睡眠，也叫做REM睡眠，而夢都出現在快速眼動睡眠期。在REM

睡眠的間期，腦電圖緩慢而又平滑，這與人們起先的猜測一致。但在 REM 睡眠期，也就是做夢的時候，腦電圖的形狀與清醒狀態下的腦電波驚人地相似。但是，做夢的狀態與清醒的狀態明顯不同。夢裡的故事結構通常荒誕離奇。醒來後，我們通常會感到奇怪，夢裡出現的幾樣東西到底是如何聯繫在一起的？可是在做夢的過程中，這些事物卻會組合成一個完整的故事情節。

美國明尼蘇達大學的實驗心理學專家馬丁・塞利格曼，透過長期的實驗和研究，建立了一套可以解釋這種現象的理論。依照塞利格曼的理論，在做夢過程中每出現一陣劇烈變化的腦電波，眼前就會出現一幅圖像。通常，做夢的階段會持續十到三十分鐘，在這段時間裡，一陣又一陣的腦電波使夢裡出現了一幅又一幅圖像。大腦試圖將這些本無關聯的圖像聯繫在一起，於是這些圖像中的事物便被編進了一個荒誕離奇的故事情節中。

夢是怎麼來的？如今，研究睡眠的科學家們掌握的知識，已經足以回答這個問題。可是，「我們為什麼要做夢」仍然是個謎。

夢的謎團

中國古人相信夢不僅能夠左右人的情緒，還可以預知凶吉，破解了夢中的景象就可以逢凶化吉，因此自古以來就有「周公解夢」的說法。那麼，這種「解夢」的說法有根據嗎？夢境與人類的現實生活存在著聯繫嗎？

預知火山噴發

一九八三年八月二十九日，美國《環球》報社記者沙姆遜工作完畢後，就在編輯室的長沙發上睡著了。幾個小時後他醒來，發現夢中的情景仍歷歷在目。於是，他立即伏案疾書，把夢中的景象詳細地記錄下來：加瓦島附近的一個島嶼發生了猛烈的火山噴發，滾滾的熔岩流和泥石流，把驚恐的人群衝進大海……沙姆遜寫完後，隨手又寫了「重要」兩字，便離開了報社。

等到社長上班時，在沙姆遜的辦公桌上看見了這張紙，以為是昨夜接收到的電訊稿，便立即將其作為緊急消息發向各地。幾十家大報在頭版刊登了這條新聞。後來由於新聞失實，引起社會嘩然，沙姆遜被解雇了。然而幾天後，加瓦島附近的克拉卡脫火山果真爆發了，沙姆遜的夢境竟然變成了現實！這是偶然的巧合嗎？但發生這種巧合的可能性極小。那麼，又該怎麼解釋呢？

對夢的探索

雖然對夢的研究在二十世紀六十年代獨立成為一個專門的學科，但在很早以前就有心理學家對夢的產生做了分析。弗洛伊德認為，夢是心理活動的反映，無論怎樣光怪陸離的夢境，都是大腦活動的反映，總是和人的經歷、想像和心理特點有所關聯。

巴甫洛夫卻表示，夢是生理反應。他認為，夢就是過去各種刺激的痕跡，它們現在以最意想不到的方式組合起來。而人們一直以來對於夢境也有一種最通俗的科學解釋，那就是常說的「日有所思，夜有所夢」。

現代科學對此做了更加具體的解釋，夢是大腦處理資訊的一種特殊形式。具體而言，就是感覺敏銳、情感豐富而擅長形象思維的右腦，在擺脫了善於歸納、判斷等邏輯思維的左腦作用後，獨立處理資訊的結果。

破解愛情之謎

愛情，被文學家稱為「永恆的主題」。那麼，人類究竟是怎樣產生愛慕之情的呢？愛情為什麼能夠讓人沉醉？戀愛中的人為什麼會興奮激動呢？科學家們試圖用科學的方法揭開其中的奧祕。

愛情源於丘腦

美國一位心理學家認為，感受愛情實際上是人腦中的電化學活動過程。他認為：在戀愛時，男子丘腦下部的神經活動受到突然激發，愛情物質大量產生，並隨血液流遍全身，引發飄飄欲仙的感覺；女子腦細胞也發出同樣的電化學活動過程，於是兩個人就激發出愛情火花。

大腦中的「戀愛興奮劑」

英國科學家首次發現「愛」的感覺來自於大腦的某部位。他們認為，熱戀中的男女看愛人的照片時，大腦的四個部分不約而同地出現血液流量急升，其中一部分位於主管內心感覺的「中腦島」，另一個部分則位於主管歡快情緒的「前色帶」。參與研究的佐基教授說：「研究結果顯示，我們腦部有特定的區域，會對愛情這種情感產生特別敏感的反應。」

美國精神研究專家裡伯慈和科萊恩認為，人腦中有一種名叫「戀愛興奮劑」的物質，它包括苯乙胺、多巴胺、異丙腎上腺素等，其中以苯乙胺最突出，它是神經系統中的興奮元素。當相互吸引的男女相遇時，人腦下部的神經便會突然受到激發，產生電化學活動。

信息素微粒

一些人認為，戀人間的互相吸引是由一種幾乎覺察不到的氣味引起的，這種氣味是由人身上一種特殊的化學物質——信息素微粒分泌出來的。

人類是怎樣聞「香」識伴侶的呢？美國洛克菲勒和耶魯大學的神經遺傳學家們在對上百對熱戀情人進行研究後發現，這些情侶們身上有一種氣味是由大量的信息素分子產生的。也就是說，人和動物一樣，也是靠氣味來尋找、識別自己的戀人的。

俄羅斯人類形態學研究所生物學家維克多·古米列夫的研究證明：愛情確實擁有「氣味界」。藉助電子顯微鏡能觀察到，我們人類的鼻子裡有一個特殊的器官位於鼻竇凹處。這個器官只接受性氣味，而對平常的香味如薄荷味、肉桂香味則絲毫不起反應。有科學家推測，這個器官正是所謂的第六感或直覺。

戀人間的心靈感應

墨西哥國立大學心理學教授格連伯格做了一個實驗。實驗顯示，一對戀人即使被兩間房子分隔開，彼此見不到，也聽不到，腦電波仍能互相起反應。

在實驗中，格連伯格先叫一對戀人面對面而坐，四目相對，並嚐試做思想和情感的交流，但彼此不得交談、不得身體接觸。幾分鐘後，這對戀人被帶到相鄰的有隔音設備的兩個房間，接上測量腦電波的儀器。然後，研究員給其中一個人某種刺激，例如強光或刺痛。此時，受刺激的那個人會做出反應，腦電波亦出現變化。令人驚奇的是，在鄰房的那名戀人並不受到刺激，也看不到、聽不到他的愛人在另一間房內的反應，但這位戀人的腦電波卻同時出現變化。研究員事後將兩人的腦電波進行比較後發現，兩者的變化幾乎完全一樣。也就是說一對戀人的確可以心有靈犀，愛情可以把兩個人的思想聯繫起來。

為什麼人臉上會長皺紋

科學家認為生活在地球表面是導致臉上長皺紋的原因之一。那麼，我們臉上的皺紋與地球有什麼關係呢？

這是因為無論待在哪裡，你的身體時刻都受到重力作用，它作用在你的臉上，會把皮膚往下拉。如果你待在室外，陽光中的紫外線會穿過表皮，進而損害深層的皮膚結構。除此之外，每次微笑、皺眉，或抬起眉毛，都會讓皮膚皺起。日積月累，皮膚的痕跡就永久地留在了你的臉上，成為漫長歲月中喜怒哀樂的留念。

有些人因為遺傳因素，不容易長出皺紋。如果你的父母或祖父母臉上皺紋不多，那麼你也很可能不會長出滿臉的皺紋。如果你天生膚色黑，也不太容易長皺紋。因為皮膚裡的黑色素會降低陽光中紫外線對皮膚的傷害。由於和尚一生中大部分時間都在陰涼安靜的寺廟裡，他們整日沉思，很少照射到紫外線，所以一位九十歲高齡的僧人很可能擁有比五十歲中年人更光滑、健康的皮膚。

為什麼說五十歲，而不是三十歲，甚至二十歲呢？因為無論待在哪，和尚也逃不開地球引力的作用。皮膚在重力的作用下慢慢下垂，日積月累，就形成了鬆弛的面頰和下垂的眼袋。此外，隨著年齡的增長，皮膚覆蓋著的組織也會發生變化。老的細胞死去，卻沒有新的細胞代替，所以顴骨和顳部都會出現輕微的塌陷。於是，皮膚對於變小了的內部組織結構來說，就變得鬆弛了。

對於人類來說，降低陽光對皮膚的傷害，成為抵抗皺紋的主要途徑。紫外線會損傷真皮，即表皮下面的深層組織。在真皮中，一種叫做膠原纖維的蛋白質結構支撐著皮膚，紫外線的照射使膠原纖維凝結在一起，削弱了皮膚的彈性。而且，紫外線還會使皮膚變薄。我們知道，一張紙比一疊紙更容易折疊。同樣的道理，越薄的皮膚也越容易出現皺紋。

因為每次做出面部表情時，面部皮膚都會被折疊，所以在被陽光曬傷過的皮膚上更容易留下皺紋。防紫外線很簡單：不曬日光浴，不要長時間讓皮膚直接暴露在陽光下，防曬霜或遮陽傘都可以防止射線穿過皮膚損傷真皮。

能預測天氣變化的關節炎

關節痛和天氣之間有科學聯繫嗎？目前還沒得到確定的證據。一九四八年，科學家愛德斯特姆最先對這一問題進行了研究。他發現，風濕性關節炎患者在溫暖乾燥的環境中感覺很好，在下雨潮濕季節則會感到關節痛。

氣壓降低之後經常出現暴風雨。有一種理論說，大氣壓降低能引起關節周圍的組織腫脹，導致關節疼痛，這可能是細胞滲透性所造成的結果。關節炎患者的血管壁一般滲透性比較好，因此有較多的血液進入組織。如果關節已經又疼又腫，那麼增加的體液會令疼痛加劇。

這個解釋聽起來非常可信，但它尚未得到科學的驗證，還只是一種理論。部分原因是氣壓降低引起的人體關節腫脹程度十分微小，不能用科學手段檢測出來。

大氣狀況的變化多端是使天氣和健康難以聯繫起來的障礙。氣壓、溫度、濕度和沉積物都可能使疼痛加重。而且，患者之間的說法也不一。有的說天氣變化之前感到疼痛，有的說是疼痛與天氣變化是同時發生的，更多的人說變天之後才有感覺。

荷蘭科學家後來做的實驗讓關節炎痛和天氣有關這個問題變得更加撲朔迷離。一九八五年，他們對三十五名骨關節炎患者和三十五名風濕性關節炎患者進行了研究。在受調查者不知道的情況下改變氣壓和濕度，雖然百分之六十二的人自稱對天氣敏感，但是結果卻是在天氣狀況和關節痛之間沒有找到確定的聯繫。風濕性關節炎患者中只有百分之二十五的人感覺到了天氣變化，而骨關節炎患者中有百分之八十三感覺到了。溫度變化、下雨和氣壓波動都影響著骨關節炎患者的關節痛，他們中百分之八十以上的人能準確地預測降雨。其中，女性對天氣變化的感覺比男性更為敏感！

有人認為即使天氣和疼痛之間確有聯繫，但可能不是身體的關係，而是心理關係。人們在潮濕天氣裡心情不好，鬱悶的情緒可能使疼痛加劇。他們還指出，如果你很想相信一些壞事情，那就真的會發生——有的疼痛和痛苦受心理影響。還有另一種可能，由於雨天，老年人喜歡長時間待在床上或舒適的沙發裡，缺乏運動使他們感到關節僵硬。

為什麼兩隻眼睛看見相同的物體

當我們用眼睛觀察物體時，兩隻眼睛同時接收物體反射的光，並向大腦發出信號。大腦再把雙眼傳來的信息組合，形成圖像。既然這樣，那我們為什麼要長出兩隻眼睛來呢？為什麼我們不選擇只在頭中央長一隻眼睛，就像古希臘神話中的獨眼巨人那樣？

因為兩隻眼睛讓我們看到了立體的圖像，這是一隻眼睛無法做到的。人的兩隻眼睛之間的距離約五公分，所以兩隻眼睛可以從不同的角度觀察同一個物體。

你可以透過實踐來驗證：盯住眼前距離你約三十公分處的一件物品，比如一個鬧鐘，首先用雙眼觀察；然後遮住右眼，用左眼觀察；最後遮住左眼，用右眼觀察。你會發現鐘的位置在移動，這就說明兩隻眼睛其實是從不同的角度看鬧鐘的。右眼看見鬧鐘的右側多一點，左眼看見左側多一點。如果只是簡單地將兩隻眼睛中的圖像疊在一起，它們是不會完全重合的。大腦接收到兩幅圖片後，會對其進行整合，形成一幅三D圖像。因此，用雙眼觀察有助於我們對物體進行多方位判斷。

許多動物的眼睛與我們人類不同，比如有些成年昆蟲擁有一對複眼——由許多小眼面構成，每個小眼面都相當於一個透鏡。蒼蠅的一隻複眼表面通常分布著約四千個小眼面，當牠觀察一朵花的時候，每個小眼面裡都會出現花朵一小部分的影像。然後，蒼蠅的大腦再對幾千幅圖片進行整合，形成一幅完整的花的圖像。這個過程就像是用成千上萬塊馬賽克拼成一幅壁畫。

蒼蠅的複眼

對於長著複眼的動物來說，距離物體越近，牠們看得就越清楚。而對於人類來說，當我們把物體貼在眼睛上時，物體的影像反而會變得模糊不清。

人為什麼會感到疼痛

古人曾有過疼痛在心還是在腦的爭論。直到現在人們才知道，痛是由腦感知的。最多經過一秒鐘，大腦就知道哪裡疼痛了。丘腦最先感到痛，而辨明痛的部位和程度的任務是由大腦皮層完成的。

那麼，如果大腦中根本沒有感覺過疼痛又會怎樣呢？一隻狗若在隔離狀態下長大，從出生以後牠就未經歷過碰撞或擦傷的痛苦，那麼牠比在正常環境下飼養的狗有更強的「忍痛」能力。例如，牠遭到針刺後不會馬上掙脫，鼻子碰到燃燒的火柴也不會馬上跑開。

飢餓的動物為了獲得生存所必需的食物，哪怕是經受電擊、燒灼的痛苦也在所不惜，因為「腦子」告訴牠們，這時食物比疼痛更重要。然而，在神情專注或其他特殊情況下，大腦也感覺不到痛，這又是什麼原因呢？

有一種「閘門控制」的理論在科學界流傳甚廣。根據此理論，神經系統祇能處理有限的信息量，這中間有一道「閘門」，過多的信息將被拒之門外。比如，腳趾踢痛了，用手去撫摩幾下，這種疼痛和撫摩的感覺同時到了「閘門」那裡，就祇能「合二為一」地透過。一半是疼痛，一半是撫摩的快感，與剛才全是疼痛的感覺相比，撫摩以後痛的程度輕多了。

但「閘門控制」理論對疼痛的原因並未完全解釋清楚。「幻肢痛」就是一個未解之謎。據統計，切去肢體的人中有將近百分之三十有過或輕或重的「幻肢痛」現象，有些人甚至在許多年後還無法消除它。

為什麼截肢、斷臂者在截肢、斷臂之後仍感到肢體存在且有疼痛的感覺呢？針對此問題，美國一位科學家曾在一九九六年發表論文指出，因為肢體被截後，大腦中感知該肢體的信號就會發生轉移，並與鄰近的感知信號混合，因而大腦能同時感知兩種感覺。至於為什麼會有疼痛，對此最可能的解釋是：過去腦子留下的對切肢之痛的「印象」太深刻了。

未來對疼痛的研究，將主要在疼痛是否與性格有關、是否有疼痛記憶、如何測定疼痛程度等方面發展。讓我們對新的研究成果拭目以待吧！

催眠術之謎

在電影中經常會看到這樣的畫面：催眠師手拿一個搖擺的懷錶，輕念幾句神祕的咒語，就能受催眠的人喪失自己的意識。人們大都不會相信現實生活中真有這樣神奇的法術，但是，很多科學家卻表示它是真實存在的！這就是令人驚奇的催眠術。

神奇的催眠術

催眠術可以透過特殊的誘導方法使人進入似睡非睡的狀態。在這種狀態下，人的意識變得相對薄弱，因此更容易受到催眠師的暗示，大腦甚至身體開始身不由己。

俄羅斯創造性和醫療性催眠術研究協會副會長伊戈爾・拉濟格拉耶夫有一個女患者，她曾經患有嚴重的更年期綜合症，由於經期紊亂，頭部和心口都疼得很厲害。經過幾次催眠治療後，她的更年期居然「推遲」了七年，也不再頭疼和心口疼了。

哈佛醫學中心的吉南德斯和羅森塔爾教授還發現了催眠術的一個驚人的作用：病人處於恍惚狀態時，骨折和外科手術的傷口能更快癒合。

拉濟格拉耶夫同其他一些生物化學家都認為這種現象是人體受內啡肽影響的結果。內啡肽是人體內合成的一種麻醉劑，而患者在接受催眠過程中會分泌得更多，這就減輕了傷口在癒合過程中的痛苦，從而使傷口較快地癒合。

對催眠術的探索

人們發現，處於催眠狀態下的人容易接受暗示，從而達到治療心理或身理疾病的目的。為什麼會產生這樣的結果呢？

一些科學家認為，催眠使受試者失去了清醒時所具有的正常控制，其思維落入一種較原始的方式，因而容易憑藉衝動行事，並進行幻想與幻覺的製作。

還有一些科學家認為，催眠之所以能夠暗示受試者，是因為催眠本身就是受試者的角色扮演。由於受試者對扮演角色有著很高的渴望，因此他們會以高度合作的態度做出某些動作。

但也有人不同意以上兩種說法，他們認為催眠是人體意識的變化。美國心理學家希爾加德就是意識催眠學說的擁護者，他認為，催眠是讓受試者產生了意識分流。意識分流是生活中經常出現的一種正常體驗，例如長途司機的意識很容易分離為駕駛汽車與個人思考兩部分，因此，司機對路上出現的狀況會做出操作反應，但事後卻回憶不出當時的情景。

那麼，催眠術的原理究竟是什麼？它的「魔力」真的有那麼大嗎？科學家們至今還在研究中。

「少年老人」之謎

一位中年男子陪著一位「老人」來到醫院門診看病。中年人對醫生說：「他是我的兒子，今年十四歲，不知得了什麼病，一天比一天顯得衰老了。」站在一旁候診的人聽到後都大吃一驚，頓時把目光投向這位「少年老人」，仔細地打量他。

「少年老人」只有八歲男孩那麼高，大頭顱，招風耳，面孔和下巴顯得特別小，腦袋上沒有一根頭髮，眉毛也十分稀少，眼球突出，眼窩深陷，瘦削帶有老年性色素斑，額頭的皺紋又多又深，身體瘦弱，皮下脂肪很少。他講起話來音調雖高，但聲音柔弱，一口牙齒也顯得十分稀疏，整個人顯得老態龍鐘。

醫生對這位「少年老人」進行全身檢查後，發現他不僅外表衰老，就連內臟器官也已老化。X 光片上顯示出他患有骨質疏鬆，從他的心電圖上看出他患有冠心病，他的眼底動脈血管也出現了硬化症狀。從腦血流圖中發現他的腦血管彈性減低和血流阻力增大。此外，他的血壓也偏高，血液中的膽固醇和三酸甘油脂也明顯升高。這些在老年人身上出現的症狀他都具備了，因此，這位少年可以說是位名副其實的老人。

類似這種「少年老人」的現象，並不少見。一九七九年十二月，一位叫彭妮·范蒂尼的女孩，死於水痘。她就是一個「老小孩」：她的年齡每增長一歲，就相當於正常人增長了十五至二十歲。她死時只有五歲，卻相當於一位九十歲的婦人。醫學界對這些「少年老人」會診後得出結論，認為這是一種「早衰症」。這種「早衰症」平均八百萬人中就會出現一個，男女病例都有發現。這種「早衰症」的患者不僅外表衰老，而且內臟器官也很早老化，一般在他們十至二十歲之間就會出現心絞痛、中風、癱瘓等老年疾病。

科學家認為，造成「早衰症」的主要原因是患者的新陳代謝特別快，每天吃進去的食物，經過胃腸道吸收後所產生的熱量，遠遠不能滿足消耗。由於長時間的熱量產生與消耗之間的負平衡，阻礙了體格的發育，使全身出現早衰和老化。目前，醫學界還沒有治療「早衰症」的特效藥。

神奇的安慰劑效應

二○○四年，密西根大學和普林斯頓大學的研究員做了一個實驗，他們電擊或擊打若干名志願受試者的手臂，同時用核磁共振成像裝置對受試者進行掃描，結果顯示出痛感刺激到了他們的某些神經。然後研究人員給他們塗上乳霜，並對他們說塗上它就不會感到疼痛。其實那祇不過是普通的護膚霜，沒有任何鎮痛作用。但是受試者再次被擊打的時候，都說明顯沒那麼疼了——大腦中的痛覺迴路掃描結果證實了這一點，而一般受到止痛藥作用的正是這部分大腦迴路，這說明他們的疼痛真的減輕了。這是一個安慰劑效應的典型例子。

安慰劑是一種藥物或治療手段，看起來可以治病，卻沒有實際的治療成分。常用的安慰劑包括糖藥片和澱粉藥片。開藥的醫生知道這些東西裡面沒有有效成分，但病人相信它的療效，並說服用之後感到身體好些了。這就是安慰劑效應——病人沒有經過有效的治療，症狀就減輕了，這是因為人的期望和信心起到了作用。

在另一個實驗中，有十名關節炎患者要接受膝蓋手術來緩解疼痛，但醫生對其中的五名患者進行的是安慰療法，即沒有實施任何手術。醫生用手術刀在患者膝蓋上劃了三下，假冒手術的刀口。直到六個月後，這三名患者都沒有發現自己被騙了，並且都說膝蓋的疼痛明顯減輕了。

安慰劑效應在醫學界是一個討論了許多年的話題。哈佛大學的麻醉學博士亨利・比徹於一九五五年首次提出「安慰劑」這個名稱。他經過實驗統計出結論，安慰劑對三分之一左右的患者產生了明顯的作用。對於某些疾病，比如疼痛、憂鬱症、心臟病和胃潰瘍等，安慰劑能減輕百分之六十以上患者的病情。

然而，安慰劑效應並不僅僅是心理方面的。美國密西根和加拿大的研究都說明，患者對治療的期望能引起生物化學的明顯變化。也就是說，人的感覺和思想能夠影響到人的身體，因此，患者樂觀的態度和信念，對身體的康復能起到很大的作用。

還有一種理論說，安慰劑效應能促進人體分泌內啡肽，而內啡肽有減輕疼痛的作用。

一些人還認為，治療過程中病人受到的同情、照顧和關心等都會引起身體的反應，從而促進康復。美國精神病學家沃爾特・A・布朗對《紐約時報雜志》的記者說：「有確切的數據證明，衹要處於治療狀態就能產生效果。服用了安慰劑的抑鬱症患者有了好轉，而正在等待治療的患者就沒有起色。」

對此持懷疑態度的人卻認為所謂的安慰劑效應純屬巧合，患者的好轉衹是屬於傷病的自然變化。即使是長期的疾病，尤其是疼痛，不經過任何治療也可能在一夜之間忽然消失。但是，許多研究證明，服用安慰劑比不接受任何治療更容易使人康復。

科學家們對安慰劑效應的解釋一直似是而非。它可能是物理方面的，可能是心理方面的，也可能是二者的結合。根據他們的說法，安慰劑效應也許還是個謎。不論事實如何，圍繞這個話題的討論還在進行之中。

人為什麼會耳鳴

我們通常認為耳朵聽到的聲音來自周圍環境，而不是耳朵自己發出的。但有時即使是在完全安靜的房間裡，我們仍然能夠聽到聲音，這時聲音彷彿是從我們的腦袋裡發出的。這種聲音有時像是收音機發出的噪音，有時則是連續不斷的尖鳴，似乎有人在我們的耳朵裡放進了一個鈴鐺。這種現象就叫「耳鳴」。

外界的原因

耳鳴現象通常出現在耳朵接受了大聲的刺激之後，比如，有人在你耳邊擊掌，或者周圍有人放爆竹等。觀看搖滾音樂會，或帶著耳機並把音量調到很大，過後都會導致耳鳴。這種耳鳴往往經過一夜的睡眠就會消失。但是如果長時間待在噪聲很大的環境中，人的聽力會嚴重受損，甚至會喪失聽覺。

耳朵自身的原因

在安靜環境下聽到聲音又是怎麼回事呢？我們的耳朵裡面有一條通向大腦的通道，叫做耳道。沿著耳道向內，有一層很薄的膜，叫做耳鼓。它橫穿耳道，將耳朵分為中耳和外耳兩部分。聲音在空氣中傳播進入耳道，使鼓膜也隨之振動。

在耳鼓後面，有一個小的骨質腔，裡面分布著三根可以活動的小骨頭，叫做聽小骨。三根聽小骨又分別叫做錘骨、砧骨和鐙骨，它們可以將耳鼓傳來的振動向內耳傳導。

再向裡面，是一段充滿液體的管道，展開長約三十公釐，叫做耳蝸。聽骨的振動使耳蝸裡的液體形成波，像水草一樣，液體裡的纖毛細胞隨著波動的液體擺動。

這些纖毛細胞對人類的聽覺至關重要。纖毛細胞波動時會產生電脈衝，電脈衝沿著聽覺神經向大腦傳導，大腦再將接收到的這些電信號轉變成聲音。於是，我們便聽到了大千世界中各種各樣的聲音。

巨大的聲響刺激和重擊頭部都會導致纖毛細胞損傷。受到損傷之後，纖毛細胞可能會發生纏結，或者變鬆脫落，甚至完全喪失產生電脈衝的功能。

但有時纖毛細胞受損還會表現為另一種現象：它們持續不斷地向聽覺神經發出電信號，即使是在其對周圍環境中的聲音已經失去敏感性的情況下，而大腦祇要接收到電信號就會認為把它當做聲音信號來處理。這就是耳鳴的原因，也是我們在最安靜的屋子裡也能聽見聲音的原因。

疾病導致的耳鳴

除了巨大聲響和頭部受創，其他原因也會引發耳鳴。例如，傷風和感冒會導致內耳腫脹，從而增高血壓。高血壓促使血管收縮，血液中的膽固醇會阻塞血液的流通，使纖毛細胞營養供應不足，從而導致耳鳴。

有時，服用阿司匹林後的一、兩天內也會出現耳鳴症狀。像咖啡因和可卡因這樣的興奮劑同樣可讓纖毛細胞在安靜的環境中發出信號。此外，如果長期服用滋補劑，其中的奎寧就會在體內慢慢累積，這也會引發耳鳴。

誘發耳鳴的原因各式各樣，因此為了保護耳朵，除了要遠離噪聲源以外，我們還要儘量避免以上可能誘發耳鳴的因素。

國家圖書館出版品預行編目資料

探索人類未解之謎 / 邱芬編著. -- 修訂 1 版. -- 新北市：黃山國際出版社有限公司, 2024.08
面； 公分. --（百科探索；008）
ISBN 978-986-397-165-8（平裝）

1.CST：百科全書 2.CST：青少年讀物
047 112020655

百科探索 008
探索人類未解之謎

編　　著　邱芬
出　　版　黃山國際出版社有限公司
220 新北市板橋區縣民大道 3 段 93 巷 30 弄 25 號 1 樓
電話：02-32343788　傳真：02-22234544
E-mail：pftwsdom@ms7.hinet.net
印　　刷　百通科技股份有限公司
電話：02-86926066　傳真：02-86926016
總 經 銷　貿騰發賣股份有限公司
新北市 235 中和區立德街 136 號 6 樓
電話：02-82275988　傳真：02-82275989
網址：www.namode.com
版　　次　2024 年 8 月修訂 1 版
特　　價　新台幣 320 元（缺頁或破損的書，請寄回更換）

ISBN：978-986-397-165-8